SUR LA PIERRE ET L'ARGILE

CHEZ LES MÊMES ÉDITEURS:

CAHIERS D'ARCHÉOLOGIE BIBLIQUE

sous la direction d'ANDRÉ PARROT

Découverte des mondes ensevelis. Volume introductif à la collection.

Déluge et Arche de Noé.

La Tour de Babel.

Ninive et l'Ancien Testament.

Les routes de saint Paul dans l'Orient grec (H. Metzger).

Le Temple de Jérusalem.

Golgotha et Saint-Sépulcre.

Samarie, capitale du Royaume d'Israël.

Babylone et l'Ancien Testament.

Le Musée du Louvre et la Bible.

CAHIERS D'ARCHÉOLOGIE BIBLIQUE N° 10

HENRI MICHAUD

Professeur à la Faculté de théologie protestante
de Paris

SUR LA PIERRE
ET L'ARGILE

Inscriptions hébraïques et Ancien Testament

DELACHAUX ET NIESTLÉ

NEUCHATEL | PARIS VIIe

4 RUE DE L'HOPITAL | 32 RUE DE GRENELLE

Edité en Suisse

c

220263

Central

(med)

Introduction

Inscriptions hébraïques et Ancien Testament! Le sous-titre de ce cahier est un programme. Il s'agit de faire connaître aux lecteurs les principales inscriptions en langue hébraïque écrites sur matière dure. Il s'agit surtout de leur montrer comment ces inscriptions, par la forme de leur écriture et par leur contenu varié, permettent de se représenter, du point de vue de l'épigraphie, la civilisation qui vit éclore l'Ancien Testament et de mieux comprendre certains passages du livre saint.

Il est évident que nous avons dû nous limiter. La première limite que nous nous sommes imposée est celle de la langue. Nous n'avons retenu que les inscriptions en langue *hébraïque*, cette langue de l'Ancien Testament qui prit naissance en Palestine après que les Hébreux venus du désert eurent occupé le pays. Or, chacun le sait, en histoire il n'y a pas d'absolu commencement. Cela s'applique à la langue hébraïque. Aussi n'avons-nous pu nous interdire de parler un peu des langues qui ont précédé l'hébreu sur le sol de Palestine et des écritures qui ont servi à les transcrire. Pour une période plus récente que celle des origines de l'hébreu, nous avons aussi dépassé notre limite en étudiant la stèle de Mésha qui est en langue moabite. Nous n'avons pourtant fait que suivre une tradition qui prévaut en épigraphie hébraïque. La langue moabite, en effet, par ses consonnes tout au moins, est sœur de l'hébreu. De plus, la stèle de Mésha traite d'événements auxquels les rois d'Israël furent mêlés. A ces titres, elle méritait une place dans notre exposé.

La seconde limite dont nous avons tenu compte, est celle de la matière sur laquelle l'inscription fut exécutée. Nous nous sommes arrêté aux inscriptions gravées dans la pierre, dans l'argile ou tracées au calame sur des ostraca [1]. Car la pierre, l'argile et l'ostracon écrits ont toujours été objets de prédilection pour l'épigraphie. Les matières souples, papyrus et peau, lorsqu'elles sont écrites, sont de préférence réservées à la papyrologie. Nous n'étudierons donc pas les manuscrits dits de la mer Morte. D'ailleurs ils feront l'objet d'un cahier spécial de cette collection. Enfin nous mentionnerons seulement les légendes hébraïques des monnaies, bien qu'elles soient écrites sur matière dure, parce qu'elles relèvent surtout de la numismatique.

A l'intérieur des limites que nous venons de tracer, nous n'avons pas voulu épuiser le sujet. Nous avons d'abord pensé aux lecteurs pour qui l'épigraphie hébraïque est un sujet nouveau ou encore peu connu. Nous avons craint de les rebuter par l'énumération d'inscriptions nombreuses, mais généralement brèves et sans grand intérêt pour notre étude comparative. Ainsi, des ostraca dont on connaît une centaine, nous n'avons retenu que les plus intéressants. Des inscriptions sur pierre ou sur vases d'argile, qui sont plus de 90 sans y compter les légendes sur ossuaires et les lettres séparées, marques d'ouvriers ou d'autre nature, nous n'avons étudié que les plus longues. Nous connaissons au moins 160 sceaux inscrits ou empreintes, plus de 550 estampilles royales, plus de 60 estampilles privées, un grand nombre d'estampilles de l'époque postexilique, une trentaine de poids à épigraphe. Il est évident que nous n'en avons présenté que quelques exemplaires, ceux qui nous ont semblé offrir le

---

[1] Ostraca est le pluriel du mot ostracon. On appelle ainsi, d'un nom grec, le tesson de poterie sur lequel les anciens écrivaient au moyen d'un pinceau ou d'un calame. Le mot calame, qui provient aussi du grec, désigne à l'origine un roseau taillé dont le scribe se servait pour tracer les signes d'écriture.

plus grand intérêt pour notre comparaison avec l'Ancien Testament [1].

Nous avons adopté un ordre chronologique aussi souvent que cela a été possible sans nuire pour autant au groupement par lieu d'origine ou par catégorie et dans la mesure où l'on arrive à déterminer la date d'une inscription d'une manière satisfaisante.

Bien que notre étude couvre dans l'espace et le temps le domaine de l'écriture paléohébraïque, nous n'avons pas voulu donner l'histoire de cette écriture [2]. Les dimensions d'un cahier nous l'interdisaient et ce n'était point le sujet que promet notre sous-titre.

---

[1] On trouvera une énumération des inscriptions proprement hébraïques dans les ouvrages suivants :

D. DIRINGER, *Le iscrizioni antico-ebraiche palestinesi*, Florence, 1934, pour toutes celles qui ont été découvertes avant cette date.

H. TORCZYNER, *Les documents de Lakish* (en hébreu moderne), Jérusalem, 1940, pour les ostraca de Lakish.

S. MOSCATI, *L'epigrafia ebraica antica*, Rome, 1951, pour toutes les inscriptions retrouvées entre 1935 et 1950, à l'exception des ostraca de Lakish.

Pour les inscriptions retrouvées après 1950 et jusqu'à nos jours, on aura des indications dans les chroniques archéologiques de la *Revue biblique* et dans les revues spécialisées qui traitent de la Palestine.

Dans notre exposé nous n'avons pas mentionné certains textes dont l'absence pourra étonner. Un papyrus découvert à Murabbaat en 1952, probablement antérieur à l'exil, n'est pas encore publié. On trouvera des indications provisoires sur le papyrus de Murabbaat dans la *RB*, 1953, p. 261. L'ostracon d'Ophel, connu depuis 1924, date de sa découverte, est de lecture et d'interprétation difficiles ; voir DIRINGER, *Le iscrizioni*, pp. 74-79. Enfin, pour ne pas allonger, nous n'avons pas traité des « poids et mesures à inscriptions », puisqu'ils sont souvent étudiés dans les manuels d'archéologie biblique. Sur eux on consultera le chapitre que DIRINGER leur consacre, *ibidem*, pp. 263-290.

[2] On appelle écriture paléohébraïque un rameau de l'alphabet linéaire inventé par les Phéniciens, tel qu'il a évolué en Palestine depuis l'arrivée des Hébreux jusqu'au second siècle de notre ère. Mais avant cette date, les Juifs ont généralement préféré une écriture dérivée du rameau araméen, l'hébreu carré, qui est encore aujourd'hui utilisée pour les éditions de l'Ancien Testament. DAVID DIRINGER a donné les grandes lignes d'une histoire de l'écriture paléohébraïque dans un article intitulé *Early Hebrew Writing* qui a paru dans *BA*, 13 (1950), pp. 74-95. On trouvera une histoire de toute l'écriture hébraïque, paléohébraïque et hébreu carré, dans l'ouvrage de S. A. BIRNBAUM, *The Hebrew Scripts*, Londres, 1954-1957.

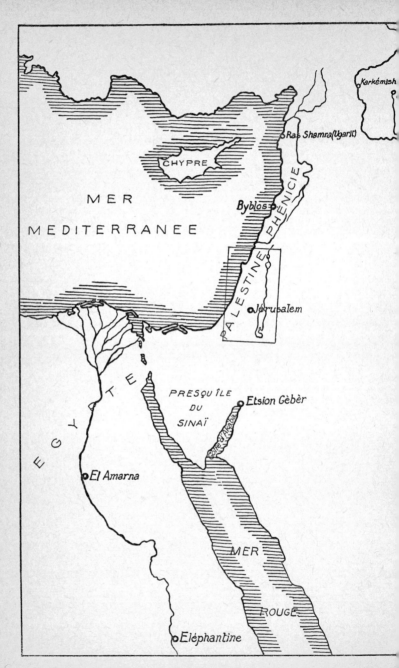

Fig.

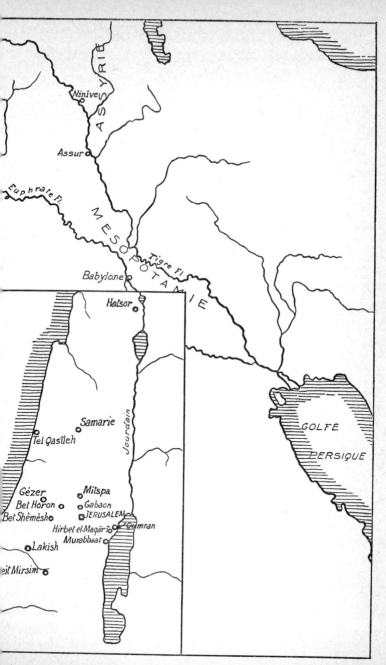

Ninive

ASSYRIE

Assur

Euphrate Fl.

MÉSOPOTAMIE

Tigre Fl.

Babylone

Hatsor

Samarie

Tel Qasîleh

Jourdain

Gézer
Mitspa
Bet Horon
Gabaon
Bet Shèmèsh
JÉRUSALEM
Hirbet el-Maqâri
Qumran
Murabbaat
Lakish
eit Mirsim

GOLFE

PERSIQUE

rale.

Nous nous sommes efforcé d'étudier les grandes inscriptions sur les documents originaux quand ils étaient accessibles, soit à Paris, soit à Londres, ou sur des photographies quand les originaux étaient ailleurs. Nous n'avons pas indiqué dans le détail la part qui revient à chaque savant dans l'étude d'un texte donné, de peur d'être conduit à écrire une somme épigraphique indigeste. Nous nous sommes contenté de renvoyer à des études d'ensemble où sont indiquées des précisions bibliographiques grâce auxquelles on peut connaître l'histoire de l'interprétation d'une inscription. Cette étude nous a coûté beaucoup de temps et beaucoup de peine. Nous espérons avoir tiré, de ces vieux textes, une interprétation aussi fidèle que le permettent les facultés toujours faillibles de l'homme. Nous serions heureux si nous étions arrivé à faire comprendre à ceux qui aiment la Bible que l'épigraphie hébraïque n'est pas faite de pierres mortes et de morceaux inertes de poteries cassées, mais de pierres qui parlent et d'ostraca qui rendent témoignage à la vérité historique du livre par excellence.

Chapitre premier

Les Hébreux et l'écriture

Les Hébreux, comme la plupart des peuples du croissant fertile, ont beaucoup écrit. Mais de leur activité épigraphique il reste très peu et ce peu fait pauvre figure, lorsque nous le comparons aux innombrables inscriptions et papyrus d'Egypte ainsi qu'aux bibliothèques de tablettes d'argile extraites du sol de Mésopotamie. A défaut de monuments à lire, c'est l'Ancien Testament qui vient à notre secours. Voici ce qu'il nous apprend.

Les anciennes traditions hébraïques laissent entendre que l'écriture a été connue des Hébreux depuis le temps de Moïse. Le Pentateuque nous montre Moïse écrivant; il écrit non seulement les ordonnances de Dieu (*Exode*, XXIV, 4; XXXIV, 28; *Deutéronome*, XXXI, 9, 24), mais aussi les noms des tribus sur les bâtons de commandement (*Nombres*, XVII, 17-18), les étapes de la marche au désert (*Nombres*, XXXIII, 2) et le fameux poème contenu en *Deutéronome*, XXXII (*Deutéronome*, XXXI, 19 et 22). Il n'est point étonnant que Moïse connût l'écriture, puisque nous savons qu'il avait été instruit à la cour égyptienne (*Actes*, VII, 22). Pourtant le Pentateuque nous enseigne que les prêtres savaient écrire (*Nombres*, V, 23). Il nous enseigne aussi que des hommes du commun peuple savaient écrire : sur les chambranles des portes (*Deutéronome*, VI, 9; XI, 20), sur des pierres passées à la chaux (*Deutéronome*, XXVII, 2-3; voir XXVII, 8). A moins d'avoir recours à un scribe, tous devaient savoir écrire pour rédiger la lettre de divorce (*Deutéronome*, XXIV, 1-3).

Il est vrai qu'il faut tenir compte du fait que le Pentateuque ne fut couché par écrit que longtemps après la mort de Moïse. Ce fait n'empêche point que la tradition orale nous a transmis des indications archéologiques extrêmement précises et celles qui concernent l'écriture sont de celles-là. D'ailleurs, l'écriture a joui en Israël d'un prestige très grand, puisque Dieu nous y est présenté, à la manière anthropomorphique, comme un scribe : c'est lui qui impose à Caïn le signe qui le protégera (*Genèse*, IV, 15); on se le représente avec un livre devant lui, un livre où il inscrit les siens (*Exode*, XXXII, 32); il écrit les ordonnances et la loi pour son peuple (*Exode*, XXXI, 18; voir *Exode*, XXXIV, 1 et *Osée*, VIII, 12; *Deutéronome*, IX, 10; IV, 13; V, 19; X, 2, 4); enfin c'est Dieu qui trace pour David le plan du Temple (I *Chroniques*, XXVIII, 19).

La Bible mentionne un ouvrage écrit qui peut remonter jusqu'au temps de Josué (*Josué*, X, 13 et II *Samuel*, I, 18). Nous voyons Josué écrire, soit sur la pierre (*Josué*, VIII, 32), soit sur un livre (*Josué*, XXIV, 26) et les hommes de son temps n'ignorent point l'écriture (*Josué*, XVIII, 9). A l'époque des Juges, on demande à un enfant quelconque de mettre par écrit les noms des principaux d'une ville (*Juges*, VIII, 14). Avec Samuel qui écrit la constitution royale (I *Samuel*, X, 25), nous nous acheminons vers la période des rois où l'écriture est à ce point répandue qu'elle occupe à la cour les services d'un scribe officiel; ce dernier avait à rédiger et les messages ou les ordres royaux et les chroniques nationales sous la responsabilité d'un chroniqueur. Les chroniques nationales sont souvent mentionnées comme références dans les livres historiques de l'Ancien Testament, par exemple I *Rois*, XIV, 19; I *Chroniques*, IX, 1. Le scribe officiel avait une haute situation puisqu'il est nommé tout de suite avant le grand prêtre (II *Rois*, XII, 11). Aussi, lorsqu'on nous dit d'une reine ou d'un roi qu'ils écrivent une lettre, il faut très probablement entendre qu'ils la dictent au scribe, bien qu'ils soient capables de l'écrire eux-mêmes (*Deutéronome*, XVII, 18). David écrit une lettre à Joab pour se débarrasser d'Urie (II *Samuel*, XI, 14). Jézabel écrit au nom d'Achab des lettres destinées à perdre Nabot (I *Rois*, XXI, 8-9). Jéhu correspond avec les principaux de Samarie pour obtenir la mise à mort des fils d'Achab (II *Rois*, X, 1, 6). L'activité épistolaire d'Ezéchias manifeste son zèle pour Yahvé (II *Chroniques*, XXX, 1). Les grands prophètes aussi savaient écrire : Esaïe (VIII, 1), Jérémie (XXX, 20 ; XXXII, 10 ; XXXVI), Ezéchiel (XXIV, 2 ; XXXVII, 16, 20 ; XLIII, 11). Au temps d'Esaïe l'écriture était répandue dans la masse du peuple puisque même un enfant était capable d'écrire (*Esaïe*, X, 19) [1], ce qui n'exclut nullement l'existence d'analphabètes (*Esaïe*, XXIX, 12).

Lorsqu'on écrivait sur la pierre dure, on se servait d'un petit burin de fer qui est mentionné dans *Job*, XIX, 24 et *Jérémie*, XVII, 1. D'un autre nom on appelait un instrument tranchant qui permettait de graver des lettres sur une tablette soit de pierre tendre, soit de bois recouvert de cire (*Esaïe*, VIII, 1) [2]. Si l'on écrivait sur des ostraca, de la peau ou du papyrus, on utilisait un calame fait d'un roseau taillé à une extrémité et fendu, d'une plume d'oie préparée, ou, par la suite, en métal. Le calame semble avoir reçu le même nom que le petit burin de fer qui servait à écrire sur la pierre dure (*Jérémie*, VIII, 8 ; *Psaume*, XLV, 2). Le scribe qui remplissait les colonnes des rouleaux (*Jérémie*, XXXVI ; *Ezéchiel*, II, 9 ; III, 1-3), ancêtres de nos livres, disposait d'un canif pour tailler

---

[1] La pratique de l'écriture au temps des grands prophètes est illustrée par quelques lettres de l'alphabet tracées à la pointe sur une des marches du palais de Lakish, *RB*, 1939, p. 264. Pour le R.P. VINCENT, *ibidem*, ce graffite est le « passe-temps ... de quelque jeune gardien fier d'étaler ses conquêtes scolaires... » et il se date entre le IXᵉ et le VIIᵉ siècle avant notre ère. Pour D. DIRINGER, *BA*, 13 (1950), p. 80, il faut penser au VIIIᵉ siècle.

[2] Nous ne savons pas de quelle nature était la tablette dont parle le passage d'Esaïe, si du moins c'est ainsi qu'il faut traduire un mot dont le sens est discuté. Quelques exégètes ont proposé d'autres traductions : cylindre, *RB*, 1949, p. 97 ; surface préparée pour recevoir l'écriture ou feuille, *BA*, 13 (1950), p. 75.

et fendre son calame (*Jérémie*, XXXVI, 23) et d'encre (*Jérémie*, XXXVI, 18), le tout rangé dans une boîte formant écritoire et portée à la ceinture (*Ezéchiel*, IX, 2, 3, 11). Dans les fouilles de Palestine, des ostraca ont été découverts; plusieurs d'entre eux seront étudiés dans les pages qui suivent. On n'a pas découvert de rouleau de papyrus, mais on sait qu'il en existait par les traces que certains ont laissées sur des empreintes de sceaux [1]. Les rouleaux les plus anciens qui nous sont parvenus, des rouleaux de peau, sont ceux des grottes de Qumrân [2]. Dans les ruines du même nom, non loin des grottes, on a trouvé du scriptorium les tables et les encriers dont les scribes se servaient pour copier les rouleaux qui font aujourd'hui encore notre admiration [3].

[1] A Lakish, voir *RB*, 1939, pp. 430-431. A Sichem, à l'époque hellénistique, voir *BA*, 20 (1957), p. 104 et figure 11. Le papyrus de Murabbaat n'est qu'un fragment de 18 × 8 cm; voir note 1, p. 7.

[2] On consultera l'excellent ouvrage de MILLAR BURROWS, *Les manuscrits de la mer Morte*, Paris, 1957.

[3] Voir *RB*, 1954, p. 212 et planches IX et X.

Chapitre II

L'écriture en Palestine avant l'arrivée des Hébreux

Nous savons très peu de chose des écritures pratiquées en Palestine avant l'arrivée des Hébreux.

Par les lettres d'el-Amarna, tablettes d'argile découvertes en Egypte mais provenant en partie des princes de Palestine qui s'adressaient au Pharaon [1], nous apprenons que la langue accadienne et son écriture cunéiforme eurent un usage diplomatique en Palestine au XIVe siècle avant notre ère [2]. Pourtant la langue populaire y était le cananéen et non pas l'accadien, comme nous le montrent des sortes de notes en langue cananéenne qui servaient à expliquer certains mots accadiens de ces lettres [3].

Pour transcrire le cananéen n'employait-on que le cunéiforme mésopotamien? En Palestine, pour nous limiter à ce pays [4], nous connaissons deux autres systèmes d'écriture qui

---

[1] Voir A. Parrot, *Le Musée du Louvre et la Bible*, pp. 33-37, avec une bibliographie à la note 1 de la page 33. A peu près de la même époque que les tablettes d'el-Amarna, sont quelques tablettes écrites en accadien et trouvées en Palestine, voir *Recueil E. Dhorme*, pp. 546-547.

[2] Il s'agit de l'écriture pratiquée en Mésopotamie, formée d'impressions dans l'argile dont chacune a l'apparence d'un clou à grosse tête. Cette écriture était tout à la fois idéographique et syllabique. Même après la période d'el-Amarna, l'accadien a parfois été utilisé en Palestine, voir *Recueil E. Dhorme*, pp. 548-549.

[3] Sur les gloses cananéennes, on consultera E. Dhorme, *La langue de Canaan*, *op. cit.*, pp. 405-519.

[4] Nous nous en tenons à la Palestine pour ne pas détourner l'attention du sujet principal. Mais il ne faut pas oublier que la Palestine était un lieu de passage

furent utilisés pour transcrire le cananéen: l'alphabet cunéiforme et l'écriture protoalphabétique linéaire.

L'ALPHABET CUNÉIFORME [1]

L'écriture cunéiforme alphabétique, bien connue en Syrie du Nord par la découverte des tablettes mythologiques d'Ugarit (Ras Shamra), est attestée en Palestine par deux courtes inscriptions; l'une d'elles imprimée dans l'argile d'une tablette fut trouvée à Bet Shèmèsh [2], l'autre gravée sur un poignard de cuivre provient des environs du mont Tabor [3], c'est-à-dire l'une du sud, l'autre du nord de la Palestine (figures 2 et 3). Encore même que ces inscriptions et les objets qui les portent seraient d'origine ugaritique ou tout au moins proviendraient de Syrie du Nord, ce qui n'est pas certain, elles prouveraient que l'écriture cunéiforme alphabétique était lue en Palestine par certains de ses habitants [4].

où se croisaient les influences les plus diverses. Aussi devons-nous mentionner au Sinaï les inscriptions protosinaïtiques et en Phénicie les inscriptions pseudo-hiéroglyphiques de Byblos; toutes ces inscriptions transcrivaient probablement des variétés de cananéen. Sur les inscriptions protosinaïtiques qui recourent à un alphabet, on consultera, W. F. ALBRIGHT, *The Early Alphabetic Inscriptions from Sinaï and their Decipherment*, *BASOR*, 110 (1948), pp. 6-22. Les inscriptions pseudohiéroglyphiques de Byblos qui utilisent un syllabaire, ont été déchiffrées par E. DHORME, *Déchiffrement des inscriptions pseudo-hiéroglyphiques de Byblos*, *Syria*, 1946-1948, pp. 1-35.

[1] L'écriture cunéiforme dont il est question sous ce titre n'a de commun avec l'écriture cunéiforme de Mésopotamie que la forme de tête de clou donnée à l'élément fondamental qui sert à composer tous les signes. Mais alors que l'écriture cunéiforme mésopotamienne qui ne connaît pas encore les principes de l'analyse alphabétique possède plus de 250 signes différents, l'écriture cunéiforme alphabétique n'en possède plus que 29. Sur l'alphabet cunéiforme d'Ugarit, voir C. H. GORDON, *Ugaritic Handbook*, Rome [3], 1955.

[2] *BASOR*, 52, pp. 5-6; 53, pp. 18-19. W. F. ALBRIGHT, *Die Religion Israels*, Munich-Bâle, 1956, p. 51 et note 3, p. 203.

[3] A. HERDNER, *A-t-il existé une variété palestinienne de l'écriture cunéiforme alphabétique?* *Syria*, 1946-1948, pp. 165-168.

[4] L'écriture cunéiforme alphabétique de Palestine n'est pas absolument identique à celle d'Ugarit. L'écriture de Palestine se lit de droite à gauche, alors que celle d'Ugarit se lit de gauche à droite. Mais on connaît une tablette ugaritique qui se lit aussi de droite à gauche, voir W. F. ALBRIGHT, *L'archéologie*, p. 202.

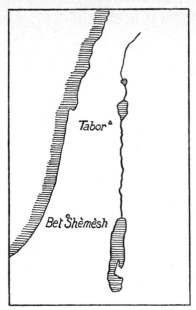

Fig. 2. L'écriture cunéiforme alphabétique en Palestine.

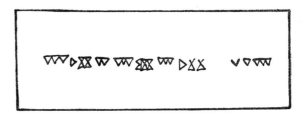

Fig. 3. Inscription du poignard des environs du mont Tabor.

L'ÉCRITURE PROTOALPHABÉTIQUE LINÉAIRE

Il y eut en Palestine d'autres essais pour transcrire le cananéen local au moyen de signes alphabétiques. Il s'agit de signes alphabétiques rendus par des combinaisons de lignes

et non plus par des impressions dans l'argile en forme de têtes
de clous. Les signes de l'écriture protoalphabétique linéaire
pouvaient par conséquent être peints, tracés à l'encre ou à la
pointe (fig. 4). Les avis sont encore partagés sur l'origine de
cette écriture[1]. Il semble en tout cas que l'alphabet linéaire
classique, né selon toute vraisemblance dans la région de
Byblos, cet alphabet phénicien qui devait connaître une telle
fortune chez les Hébreux et dans le monde, est issu des essais
d'alphabétisme qu'on appelle écriture protoalphabétique

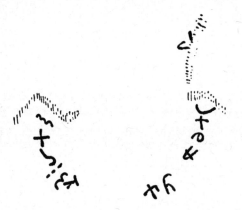

Fig. 4.   Inscription de l'aiguière de Lakish.

linéaire. La qualification de *proto*alphabétique est donnée à
cette écriture pour bien marquer sa position par rapport à
l'alphabet linéaire phénicien. Les témoins de l'écriture protoalphabétique linéaire que nous possédons se datent de la fin
de la période du bronze et des débuts de la période du fer,
c'est-à-dire avant l'arrivée des Hébreux en Palestine et encore
au temps des Juges. Les pointes de flèches inscrites de el-Hadr

---

[1] On la fait dériver tantôt de l'écriture protosinaïtique, tantôt de l'écriture
pseudohiéroglyphique de Byblos.

nous révèlent l'existence de corporations d'archers en Palestine en pleine période des Juges [1]. La figure 5 montre la répartition pour la Palestine des inscriptions en écriture protoalphabétique linéaire, assez nombreuses, mais courtes et fragmentaires.

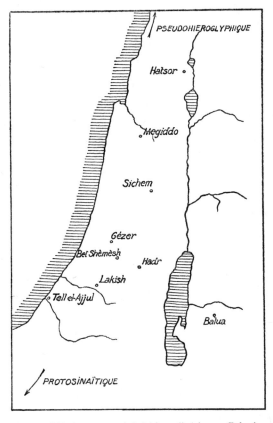

Fig. 5. L'écriture protoalphabétique linéaire en Palestine.

[1] Ces archers n'étaient probablement pas des Hébreux. Voir *BASOR*, 134 (1954), pp. 5-15; 143 (1956), pp. 3-6; *Orientalia*, 1957, pp. 273-279.

Comme on le voit, du sud au nord de la Palestine il y eut des tentatives pour rendre le cananéen au moyen d'un graphisme linéaire et alphabétique [1].

Des essais graphiques linéaires, sortira en Phénicie l'alphabet phénicien classique qui nous est connu par les inscriptions de Byblos [2]. L'alphabet phénicien en s'adaptant aux besoins des Hébreux donnera naissance à l'écriture paléohébraïque dont le plus ancien témoin connu actuellement est la tablette de Gézer.

---

[1] Nous avons indiqué sur la figure 5 les lieux de Palestine où ont été faites les principales découvertes de textes écrits en protoalphabétique linéaire. Pour une bibliographie concernant ces textes, voir :
J. G. Février, *Histoire de l'écriture*, pp. 183-186; *BARROIS*, II, pp. 149-151; F. M. Cross, *The Evolution of the Proto-Canaanite Alphabet*, *BASOR*, 134 (1954), pp. 15-24.

[2] Voir W. F. Albright, *The Phoenician Inscriptions of the Tenth Century B. C. from Byblus*, *JAOS*, 1947, pp. 153-160.

CHAPITRE III

La tablette de Gézer et la vie agricole en Israël

Les descendants de Jaqob, de demi-nomades qu'ils étaient au désert, devinrent sédentaires et agriculteurs en conquérant les terres de Palestine. Leur état d'agriculteurs nous est attesté par une humble tablette de kaolin qui fut découverte en 1908 au cours des fouilles pratiquées par R. A. S. Macalister à Gézer [1]. Elle fut trouvée dans la couche archéologique israélite préexilique, XIᵉ-VIᵉ siècle avant notre ère. La tablette de Gézer est petite; sa plus grande longueur est de 0 m 111, sa plus grande largeur de 0 m 072 et sa plus grande épaisseur de 0 m 019. Bien que tous les savants ne soient pas de cet avis, on admet aujourd'hui que, vu sa taille, elle appartenait à un écolier qui s'en servait, comme son moderne camarade d'une ardoise. L'écolier de Gézer écrivait avec un style, effaçait ce qu'il avait écrit et recommençait. En effet, sous le texte actuel qui nous livre le dernier état de la tablette, on peut voir les traces de lettres antérieures, ce qui n'est point pour faciliter la lecture du dernier texte. Au revers aussi quelques lettres sont tracées et semblent être d'une autre main que l'écriture

---

[1] On trouvera tous les renseignements sur cette tablette et une bibliographie dans les ouvrages de D. DIRINGER, *Le iscrizioni*, pp. 1-20; de S. MOSCATI, *L'epigrafia*, pp. 8-26; de W. F. ALBRIGHT, *ANET*, p. 320. On ajoutera quelques travaux importants:
J. G. FÉVRIER, *Remarques sur le calendrier de Gézer*, Semitica, 1948, pp. 33-41.
A. M. HONEYMAN, *The Syntax of the Gezer Calendar*, JRAS, 1953, pp. 53-58.
G. E. WRIGHT, *Israelite Daily Life*, BA, 18 (1955), pp. 50-56.

du recto. Comme pour nous confirmer dans l'hypothèse qu'il s'agit d'une œuvre scolaire, l'écriture de la tablette est malhabile : certaines lettres, le *w* par exemple, ont plusieurs formes, ce qui doit s'entendre d'un enfant qui se fait la main. Peut-être même connaissons-nous le nom de l'écolier de Gézer si c'est lui qu'il faut lire en travers du recto et reconstituer ainsi '*by*[*hw*], c'est-à-dire *Abiyahu, Yahvé est mon père!* Touchant témoignage de la piété yahviste au temps des premiers rois d'Israël, que ce simple nom propre ! C'est en effet au Xe siècle avant notre ère qu'on s'accorde aujourd'hui à dater notre tablette.

Que cet exercice scolaire ne nous étonne point puisque peu de temps avant, au temps des Juges, la Bible nous montre un enfant capable d'écrire les noms des 77 princes et anciens de la ville de Sukkot, *Juges*, VIII, 14. Nous devons imaginer l'enfant de Sukkot écrivant, soit sur une tablette plus grande que celle de Gézer, soit sur un ostracon, au moyen d'une écriture assez semblable à celle qui nous est offerte par l'exercice d'Abiyahu (pl. I a). L'écriture semble donc avoir été d'un usage courant aussi bien à l'époque des Juges qu'à l'époque des premiers rois, et l'apprentissage de l'écriture aux enfants, une institution très répandue. Les bienfaits de la démocratie sont anciens en Israël !

* * *

Mais qu'a écrit Abiyahu sur sa tablette? En de petites sentences, que certains savants trouvent rythmées, l'enfant a noté la durée globale des principaux travaux qui marquaient la vie agricole de son temps. Ce n'est donc ni un calendrier, puisque les noms des mois ne sont pas donnés, ni un almanach, puisque tous les travaux agricoles ne sont pas mentionnés d'une manière précise et systématique. Cette façon de caractériser certaines périodes de l'année par les principaux travaux agricoles, rappelle l'usage ugaritique, plus ancien, de nommer le mois d'après l'événement important qu'il contient, qu'il soit agricole ou religieux [1]. C'est seulement là un rapprochement qui ne doit pas nous amener à voir dans la tablette de Gézer autre chose qu'un devoir d'enfant destiné a remémorer à son auteur le rythme des grands travaux agricoles qui remplissaient une partie très importante de sa vie, certainement habitué qu'il était à aider ses parents dans les champs et dans les vignobles. Le mot que dans la traduction nous rendons par *mois*, signifie proprement *lunaison*, c'est-à-dire le temps qui s'écoule entre deux nouvelles lunes, une période plus courte que le mois de notre calendrier habituel. Lorsqu'une même ligne contenait deux sentences, celles-ci étaient séparées par une barre verticale. Voici ce qu'écrivait Abiyahu de Gézer, jeune écolier agriculteur, au temps des premiers rois des Hébreux:

1 *Deux mois de ramassage | Deux mois de se-*
2 *mailles | Deux mois d'herbe tardive*
3 *Un mois de coupage du lin*
4 *Un mois de moisson des orges*
5 *Un mois* [2] *de Moisson et de mesurage*
6 *Deux mois d'émondage*
7 *Un mois de fruits de fin d'été*

Abiy[ahu]

L'année agricole semble ainsi avoir commencé en automne, par le ramassage, avant l'hiver, c'est-à-dire avant la saison des pluies en Palestine, de tout ce qui avait été mis à l'air pour sécher. C'est aussi en automne que le livre de l'Exode (XXIII, 16 et XXXIV, 22) place la fête du ramassage, ce que certains exé-

---

[1] Voir *JA*, 1952, p. 550; 1956, pp. 467-468.
[2] Plutôt que de lire un *ḥ* couché qui corrigerait deux lettres antérieures, il serait possible de lire un *ḥ* non couché, suivi d'un *w* à tête carrée; tous les *w* du texte ont par ailleurs des formes différentes. On aurait ici encore: *deux mois de moisson et de mesurage*. Mais on obtiendrait ainsi un total de 13 mois, plus précisément de 13 lunaisons. Cette lecture créerait plus de difficultés qu'elle n'en résoudrait.

gètes traduisent par fête de la récolte. Le livre de l'Exode utilise le même mot que celui de notre tablette pour parler de cette opération agricole, mais il la place à la « sortie de l'année » ou à la « révolution de l'année ». Rappelons que le nouvel an juif se célèbre encore au début du mois de *tishri*, c'est-à-dire en automne, et la fête des cabanes, qui s'est confondue avec celle du ramassage, au milieu du même mois [1].

Viennent ensuite les semailles. Il faut y comprendre naturellement les labours d'automne, indispensables pour faire les semailles proprement dites. Selon A. G. Barrois: « *Les semailles suivent immédiatement les labours d'automne... Ces opérations s'échelonnent aujourd'hui de novembre-décembre à janvier-février, selon les espèces.* [2] » Ces indications correspondent parfaitement aux deux mois de semailles mentionnés par Abiyahu. A cette période de la vie agricole, Jésus a emprunté sa parabole du semeur, *Matthieu*, XIII, 1-9, *Marc* IV, 1-9 et *Luc* VIII, 4-8.

Après les semailles, Abiyahu parle de deux mois d'herbe tardive. Le mot *lqsh*, traduit ici par herbe *tardive*, ne se lit dans l'Ancien Testament qu'au livre d'Amos (VII, 1). La traduction de ce mot a donné lieu à des débats exégétiques que nous ne mentionnerons pas. Nous adoptons la traduction que Kimhi donne de ce mot dans son commentaire sur *Amos*, VII, 1. On ne doit donc point entendre par herbe tardive celle que nous appelons regain, mais celle qui, en Palestine, pousse durant les deux mois où tombent les pluies *tardives* qu'on nomme *malqosh*, c'est-à-dire durant les mois de mars et d'avril. Ces pluies qui font pousser les graines confiées à la terre sont les dernières avant les moissons. L'herbe qu'elles font sortir du sol est destinée au bétail et pendant deux mois on conduit celui-ci aux pâturages. C'est tout cela qu'évoquent les deux mois d'herbe tardive.

[1] Voir en dernier lieu *VT*, 1958, pp. 11-14.
[2] *BARROIS*, I, p. 311.

Après l'herbe tardive commencent les moissons et d'abord celle du lin : *un mois de coupage du lin*. D'un passage du livre de l'Exode (IX, 31-32), on peut conclure que le lin et l'orge étaient mûrs longtemps avant le blé. Notre tablette nous apprend qu'on commençait par la moisson du lin. L'expression employée, coupage du lin, ne signifie pas obligatoirement qu'on utilisait un instrument tranchant ; la main pouvait suffire [1].

« *Un mois de moisson des orges* » nous rappelle la délicieuse histoire de Ruth que la Bible met au temps des Juges, c'est-à-dire à peine deux cents ans avant qu'Abiyahu n'écrivît sa tablette. *Ruth*, I, 22 nous fait assister à l'arrivée à Betléem, de Noomi avec Ruth sa belle-fille « au début de la moisson des orges ». Aussi tout le chapitre II où nous est décrite la moisson des orges avec les glaneuses qui suivent les moissonneurs et le repos pour manger, illustre-t-il la brève mention de notre tablette : « un mois de moisson des orges ». Ruth la fidèle, d'ailleurs, continua de glaner chez Boaz jusqu'à la fin de la moisson du froment : « *Elle se joignit aux servantes de Boaz pour glaner jusqu'à la fin de la moisson des orges et de la moisson du froment* » (*Ruth*, II, 23). C'est précisément à cette moisson du froment qui suit celle des orges qu'il est fait allusion sur la tablette d'Abiyahu sous le nom de Moisson, la moisson par excellence : *un mois de Moisson et de mesurage* [2]. Le mesurage était celui du grain, pratiqué sur l'aire par les créanciers pour récupérer en nature des sommes qui leur étaient dues ou par les officiers du trésor pour le règlement des impôts au pouvoir central [3]. Toutes ces moissons étaient

---

[1] Sur une peinture égyptienne on voit arracher le lin à la main, voir W. CORSWANT, *Dictionnaire d'archéologie biblique*, Neuchâtel et Paris, 1956, p. 197.

[2] Pour le sens de ce mot difficile à lire, nous suivons J. G. FÉVRIER, *Semitica*, 1948, pp. 35-36. W. F. ALBRIGHT, *BASOR*, 92 (1943), p. 23, a proposé de lire *gl* et de comprendre *festivity* en y voyant une allusion à la fête de la Pentecôte.

[3] *BARROIS*, I, p. 315.

terminées au milieu de juin dans les régions montagneuses [1], ce qui correspond, *grosso modo*, aux temps mesurés par l'énumération d'Abiyahu.

Ensuite il y a « *deux mois d'émondage* ». Il peut s'agir de l'émondage des pampres qui se fait généralement à la fin de l'hiver, lorsque les fruits commencent à se former, pour leur permettre un développement meilleur [2]. Or, d'après notre tablette, l'émondage avait lieu en été. Comme la saison chaude ne convient pas à l'opération mentionnée, on suppose avec raison que le mot *émondage* englobe aussi la vendange qui a lieu en août-septembre [3]. Peut-être y avait-il une autre opération d'émondage que celle de la fin de l'hiver, un émondage juste avant la vendange pour permettre une cueillette plus facile des raisins? S'il en était ainsi, on comprendrait mieux que sous le terme d'émondage, on ait pu aussi entendre le temps de la vendange. Quoi qu'il en soit du sens précis de cette mention de notre tablette, les « deux mois d'émondage » ne peuvent manquer d'évoquer le fameux chant d'*Esaïe* v par lequel le prophète Esaïe capte l'attention de ses auditeurs. Il se fait poète de foire, et il parle de choses connues de tous ces agriculteurs palestiniens qui l'entourent, les choses de la vigne :

> « *Mon bien-aimé avait une vigne*
>   *En lieu bien exposé et fertile.*
> *Il la bêcha, la dépierra*
>   *Et y planta du soréq* [4]
> *Il construisit une tour au milieu*
>   *Et il tailla aussi une cuve.*
> *Il espérait qu'elle ferait des raisins,*
>   *Mais elle fit des verjus!* »   *Esaïe*, v, 1b-2.

---

[1] *BARROIS*, I, p. 313.
[2] *BARROIS*, I, p. 329.
[3] *BARROIS*, I, p. 330.
[4] C'était le nom d'un plant de vigne renommé.

Lorsque l'attention de ses auditeurs est prisonnière du rythme et du réalisme d'une telle poésie, Esaïe passe aussitôt à l'application religieuse : « *Et maintenant, habitants de Jérusalem et hommes de Juda, soyez juges entre moi et ma vigne : Quels soins apporter encore à ma vigne que je ne lui aie apportés ? Pourquoi ai-je espéré qu'elle ferait des raisins et fit-elle des verjus ? Aussi, maintenant, je vous ferai connaître ce que je vais faire à ma vigne. Je vais enlever sa clôture pour qu'elle soit dévastée, abattre son muret pour qu'elle soit piétinée. Je ferai d'elle un anéantissement : on ne l'émondera plus, on ne la sarclera plus ; épines et chardons y pousseront et j'ordonnerai aux nuages de ne plus faire pleuvoir sur elle. Car la vigne de Yahvé des armées c'est la maison d'Israël et les hommes de Juda c'est son plant délicieux...* » (*Esaïe*, IV, 3-7a). Jésus a fait de la vigne une application religieuse dans la parabole des vignerons, *Matthieu*, XXI, 33-46 ; *Marc*, XII, 1-12 ; *Luc* XX, 9-19 ; il s'est certainement souvenu d'*Esaïe*, V.

La tablette se termine par la mention de « *un mois de fruits de fin d'été* ». Le mot employé dans notre texte pour dire *fruits de fin d'été* est *qts*. Le mot *qts*, si on le vocalise d'une certaine manière, signifie *fin* et si on le vocalise d'une autre manière, il signifie *été* ou *fruits de fin d'été*. C'est avec ce double sens du mot que joue le passage biblique bien connu, *Amos*, VIII, 1-2, dans lequel Yahvé fait voir à son prophète une corbeille de *fruits de fin d'été* (qts), après quoi il lui annonce que la *fin* (qts) va venir pour son peuple. Les fruits en question sont surtout les figues d'été qu'on cueille en août-septembre [1] et les olives qu'on cueille en septembre-octobre [2].

La succession régulière des travaux agricoles est une bénédiction, car chaque homme d'Israël peut vivre heureux sous sa vigne et sous son figuier [3] lorsque la terre produit son

---

[1] *BARROIS*, I, p. 334.
[2] *BARROIS*, I, p. 323.
[3] Voir I *Rois*, V, 5 et *Michée*, IV, 4.

fruit et que le culte dû à Yahvé est assuré. Mais quelle malédiction lorsque la terre ne répond pas à l'espérance des hommes. Pour s'en rendre compte, on relira le premier chapitre du livre de Joël dans lequel est décrite une de ces horribles invasions d'insectes contre lesquelles les hommes étaient impuissants. Le petit Abiyahu de Gézer vivait en un temps où Yahvé accordait la fertilité au sol que cultivaient ses enfants [1].

---

[1] Nous avons éliminé de notre exposé de nombreuses discussions techniques sur la lecture et la signification de ce petit texte. Nous agirons de même pour tous les textes qui suivent. Il n'est pas nécessaire de noyer le lecteur dans un flot de minuties. Quant aux spécialistes, ils sauront bien reconnaître nos choix et nos préférences.

CHAPITRE IV

Le récit de II Rois, III et la stèle de Mésha

La stèle de victoire du roi Mésha de Moab est la plus belle pièce des antiquités hébraïques au musée du Louvre. Lorsqu'on la voit pour la première fois on remarque aussitôt qu'elle est faite de parties mates qui sont les morceaux originaux de basalte noir et de parties brillantes qui sont des reconstitutions en plâtre noirci (pl. II). L'ensemble n'en a pas moins très grand air et il s'en dégage bien une impression de triomphe. Nous avons la chance de pouvoir comparer le contenu de ce document non biblique à un récit biblique qui narre pour une part les mêmes événements. Outre que le texte non biblique permet de mieux comprendre le récit de l'Ancien Testament, nous aurons l'occasion de voir comment une défaite des Israélites est jugée, selon qu'on est dans le camp du vaincu ou dans celui du vainqueur.

LE RÉCIT DU LIVRE DES ROIS

II *Rois*, 1, 1 mentionne l'événement avec précision, mais sans détail : « *Moab se révolta contre Israël après la mort d'Achab.* » Nous sommes à l'époque du royaume divisé. La dynastie d'Omri est encore sur le trône d'Israël. Achab est mort après un long règne. Ahazia règne peu de temps : tombé par une fenêtre, il meurt bientôt (I *Rois*, XXII, 52-54 et II *Rois*, 1).

Son frère Joram lui succède en 849 avant notre ère [1]. Dernier roi de la dynastie d'Omri, Joram succombe sous les coups du cruel Jéhu (II *Rois*, IX, 23-26). Après avoir rappelé les vicissitudes royales en Israël avant la révolte, disons quelques mots de Moab. Le pays de Moab s'étend à l'est de la mer Morte, coupé en deux par un affluent de celle-ci, l'Arnon (fig. 6). Le royaume de Moab proprement dit fut souvent réduit au territoire qui se trouve au sud de l'Arnon. Tout le reste de Moab fut occupé anciennement par les tribus hébraïques de Gad et de Ruben (*Nombres*, XXXII, 34-38). Le roi du royaume de Moab reprit parfois ses droits sur les territoires occupés par les Hébreux au nord de l'Arnon, par exemple au temps des Juges (*Juges*, III, 12-14). David délivra les tribus hébraïques du joug moabite (II *Samuel*, VIII, 2). Au moment de la division du royaume de Salomon, les Moabites retrouvèrent certainement leur indépendance. Elle ne dura pas longtemps puisque Omri (876-869) imposa, nous le verrons, un lourd tribut au roi de Moab après l'avoir repoussé au sud de l'Arnon. Cette situation dura jusqu'à la mort d'Achab. Le roi de Moab, Mésha, profita du changement de maître pour se rendre indépendant et regagner son autorité perdue sur les territoires qui sont au nord de l'Arnon. C'est alors que Joram d'Israël intervint après avoir obtenu l'alliance de Josaphat roi de Juda et celle du roi d'Edom. II *Rois*, III nous retrace cette campagne guerrière contre le roi de Moab : « ([4]) *Mésha, roi de Moab, était un (roi) pasteur. Il rapportait au roi d'Israël cent mille agneaux et cent mille béliers (avec leur) laine.* ([5]) *Quand Achab fut mort, le roi de Moab se révolta contre le roi d'Israël.* ([6]) *Alors en ce jour-là, le roi Joram* [2] *sortit de Samarie et inspecta tous les Israélites.* ([7]) *Il partit et manda ceci à Josaphat, roi de Juda : Le roi de Moab s'est révolté contre moi, viendras-tu avec moi*

---

[1] Nous suivons la chronologie qui est adoptée par A. PARROT dans son ouvrage *Samarie capitale du royaume d'Israël*, p. 100, sauf indication contraire.
[2] Joram a régné de 849 à 842 avant notre ère. Achab était mort en 850.

pour combattre Moab ? — Il dit : Je monterai; mon sort est le tien, mon peuple est ton peuple, mes chevaux sont tes chevaux! — ([8]) (Joram) dit : Par quel chemin monterons-nous ? — (Josaphat) dit : Par le chemin du désert d'Edom! ([9]) *Le roi d'Israël, le roi de Juda et le roi d'Edom partirent; ils firent le détour (par la mer Morte)* [1] *durant sept jours de marche et il n'y avait pas d'eau pour l'armée, ni pour les bêtes qui la suivaient. »* Les trois alliés veulent engager les hostilités par le sud. Peut-être craignaient-ils d'être pris à revers par les Araméens s'ils attaquaient Mésha par le nord? C'est possible. Quoi qu'il en soit, la nombreuse troupe qui a pris le chemin du désert d'Edom, manque d'eau. Grâce à l'intervention d'Elisée, racontée aux versets 10 à 23, de l'eau est découverte. En ces régions il n'est pas rare qu'un ouadi, généralement desséché, se gonfle brusquement d'eaux apportées par des averses lointaines. Dans les lieux où la crue se répand, le temps calme et chaud ne laisse pas prévoir une telle abondance liquide. A la fin du siècle dernier, Lucien Gauthier fut témoin d'une telle crue dans les mêmes régions. Seul un grondement annonçait l'arrivée des flots [2]. L'intervention d'Elisée permit de prévoir une crue de ce genre, venue du pays d'Edom. Au soleil levant, les rouges rayons se reflétèrent dans les eaux brusquement apparues. Les Moabites s'y laissèrent tromper. Ils prirent l'eau pour le sang des Israélites et de leurs alliés. Ils imaginèrent que ceux-ci étaient en train de s'entretuer. Ils se précipitèrent pour le pillage. Et le récit biblique poursuit : « ([24]) *Ils vinrent au camp d'Israël, mais les Israélites se levèrent et frappèrent les Moabites qui s'enfuirent devant eux. Ils pénétrèrent dans le pays en battant Moab.* ([25]) *Ils détruisirent les villes; chacun jetant sa pierre, ils en remplirent les champs fertiles, ils bouchèrent toutes les sources, ils abattirent tous les arbres fruitiers; ils laissèrent seulement les*

---

[1] Nous suivons sur ce point l'interprétation de la *Bible du Centenaire, Les prophètes*, p. 242.
[2] *Autour de la mer Morte*, p. 92.

pierres à Qir Harèshèt [1] *que les frondeurs encerclèrent et frappèrent.*
(26) *Le roi de Moab vit que les combattants étaient plus forts que*
lui. Il prit avec lui sept cents hommes tirant le glaive pour faire
une trouée vers le roi d'Edom [2], *mais ils ne purent (y parvenir).*
(27) *Alors (Mésha) prit son fils aîné qui aurait dû régner après*
lui et il l'offrit en holocauste sur la muraille. Et il y eut une grande
indignation sur les Israélites; ils partirent du pays (de Moab)
et regagnèrent (leur) pays. » La fin de ce récit cache une terrible
défaite des Israélites. Ceux-ci viennent de perdre le contrôle
des régions moabites, Mésha est indépendant! L'Ancien
Testament reconnaît implicitement la défaite de Joram, mais
il ne s'y étend pas; il tourne court. Encore faut-il bien comprendre le texte. Certains exégètes traduisent « *Une grande*
indignation s'empara des Israélites ». On entend par là, qu'après
le spectaculaire sacrifice de Mésha, les Israélites, assistants
involontaires qui rejetaient les sacrifices d'enfants, furent
tellement indignés qu'ils rentrèrent chez eux au plus vite.
Nous avons préféré la traduction d'autres exégètes, celle que
nous avons donnée, et nous comprenons le texte de la manière
suivante: Mésha voyant le combat tourner à son désavantage
en tire la conclusion, parfaitement logique pour un homme
religieux de ce temps, que son dieu a dirigé sa colère contre lui.
Seul le sacrifice suprême pourra rendre à nouveau le dieu
favorable et détourner sur Israël la colère qui pèse sur Moab.
Mésha sacrifie donc son fils aîné. Le dieu apaisé dirige alors
son courroux contre les ennemis. Ceux-ci, pénétrés de la

---

[1] C'est probablement l'actuelle el-Kerak.
[2] Le roi d'Edom était un allié d'Israël. Pour cette raison, quelques exégètes
veulent lire en ce passage Aram au lieu d'Edom. Les deux noms se confondent
facilement en hébreu non ponctué. Si l'on maintient la lecture Edom, on peut
penser que Mésha avait l'intention de retourner les Edomites contre leurs alliés.
Cela se comprendrait d'autant mieux que les Edomites étaient, semble-t-il,
partis en campagne comme vassaux de Juda, donc plutôt par contrainte. Joram
avait traité avec Josaphat, mais le texte ne parle pas de tractation avec Edom.
Mésha ne pouvait-il compter sur le désir d'Edom d'échapper à la vassalité en se
rangeant dans le camp adverse?

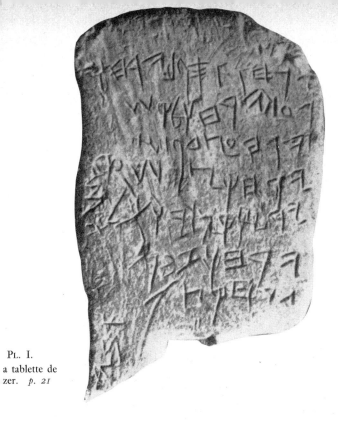

Pl. I.
a tablette de
zer. *p. 21*

D'après Diringer,
Le iscrizioni. (Avec
l'aimable autorisa-
tion de l'auteur)

vérité que le dieu sur le territoire de qui ils se trouvent a fait reposer sur eux le poids de sa colère, prennent la fuite pour ne plus revenir, mais certainement avec de lourdes pertes.

La stèle de Mésha et les documents moabites

Mésha vainqueur a les mains libres. Il va partir à la reconquête des plateaux moabites qui sont au nord de l'Arnon ou bien il poursuivra cette tâche s'il l'avait déjà commencée. Il inaugure un règne glorieux dont il immortalise le souvenir dans la pierre, par une stèle élevée à sa gloire et à la gloire de son dieu Kemosh. Cette stèle a été découverte dans une des villes libérées par Mésha au nord de l'Arnon, l'actuelle Dhîbân; cette stèle est celle qu'on appelle la « stèle de Mésha ». Elle est écrite au moyen de l'alphabet linéaire phénicien, dans une langue qui ressemble beaucoup à l'hébreu, au moins par ses consonnes, qui seules sont écrites, comme c'est généralement l'usage pour les langues sémitiques anciennement [1].

La stèle de Mésha n'a pas été découverte au cours de fouilles, mais elle fut repérée au sol et elle devint rapidement l'enjeu d'une véritable chasse au trésor. La stèle avait été vue en 1868 par Klein, missionnaire alsacien, dans les ruines de Dhîbân [2]. Pourtant le véritable « inventeur » semble bien avoir été Clermont-Ganneau, alors fonctionnaire au consulat de

---

[1] Puisque les Moabites étaient les cousins germains des Hébreux (*Genèse*, XIX, 36-38), il n'est pas extraordinaire que la langue moabite ait ressemblé à la langue hébraïque.

[2] Où se trouvait la stèle parmi les ruines de Dhîbân? « *D'après la tradition locale, la stèle de Mésa fut trouvée vers l'angle S.-E. de ces ruines, à la pointe méridionale d'un grand* birkeh *occupant vraisemblablement une partie du fossé oriental.* » R. P. Savignac, *Sur les pistes de Transjordanie méridionale*, RB, 1936, p. 238. Si nous demandons maintenant quelle était la position de la stèle au moment de sa découverte, voici l'opinion de Clermont-Ganneau: « *Je serais porté à croire que la stèle, quand elle a été copiée et, plus tard, estampée, était couchée à terre sur le côté gauche. C'est dans cette position que la représente le croquis de Selîm. Il est probable que le bloc avait été réemployé dans quelque construction ultérieure* », JA, 1887, p. 86, note 3.

France à Jérusalem [1], toujours à l'affût d'antiquités. Il avait
entendu parler de la pierre et il en avait fait copier un passage,
en octobre 1869, par un Arabe nommé Sélîm el-Qâri. Cette
copie est exposée au musée du Louvre, à côté de la stèle.
Grâce à cette copie, aussi malhabile et imparfaite fût-elle,
Clermont-Ganneau comprit que la pierre de Dhîbân était
un monument ancien et d'une extrême importance. Il désira
en posséder un estampage. En décembre 1869, l'estampage,
exécuté par un autre Arabe nommé Ya'qoub Karavaca [2], eut
un sort malheureux. Au cours d'une querelle survenue entre
les gens de Dhîbân, le papier encore humide fut lacéré et
déchiré en plusieurs morceaux [3]. Clermont-Ganneau se décida
à acheter le monument. C'était porter trop d'intérêt à une
pierre inscrite. Les gens du lieu qui avaient des droits de
propriété sur l'objet ne comprenaient pas qu'on achetât ce
qui n'était pour eux qu'un vulgaire caillou. Il fallait que se
cachât dedans quelque trésor. Pour départager les contesteurs,
un feu fut allumé autour de la stèle et celle-ci une fois chauffée
fut arrosée d'eau froide. Sous l'effet du contraste des tempé-
ratures la pierre éclata. Il n'y avait point de trésor! Mais
l'inscription avait volé en morceaux. N'était-elle pas à jamais
perdue pour la science? Le désastre qu'on eût pu craindre
fut évité par la ténacité de Clermont-Ganneau et par les
sacrifices qu'il consentit en se privant d'une partie de son
« maigre traitement » [4] pour racheter les fragments inscrits
du monument aux Bédouins rapaces. Tous les fragments
récupérés par Clermont-Ganneau devinrent la propriété du

[1] *JA*, 1887, p. 73, note 2.
[2] *JA*, 1887, p. 74, note 2.
[3] Karavaca parvint à sauver l'estampage et à le rapporter à Jérusalem. Bien
que dans un piteux état, cet inappréciable document qui donne une idée juste
de l'ensemble de la stèle avant son éclatement, est maintenant au musée du
Louvre (*AO* 5019). Défroissé, les morceaux regroupés et couchés entre deux
plaques de verre retenues par un cadre de bois, l'estampage dû à Karavaca revient
de très loin.
[4] Le mot est de Clermont-Ganneau, *JA*, 1887, p. 73, note 2.

musée du Louvre en 1873. D'autres morceaux de la stèle
retrouvés ou achetés sur les lieux par diverses personnes ou
institutions furent donnés au musée du Louvre, le dernier
en 1891. Aussi avons-nous aujourd'hui la satisfaction de
contempler l'inscription reconstituée au moyen des fragments
originaux et des restaurations en plâtre qui furent réalisées
grâce à l'estampage de toute la stèle [1] (pl. II). Voici maintenant
le contenu de l'inscription royale, le récit des libérations et
des victoires accordées à Mésha par Kemosh le dieu de Moab :

1 *Je suis Mésha, fils de Kemosh[..]* [2]*, roi de Moab, de D-*
2 *îbôn. Mon père régna trente ans sur Moab* [3] *et moi je ré-*
3 *gnai après mon père. Je fis ce haut-lieu* [4] *pour Kemosh dans*

[1] On trouvera de plus amples détails sur l'histoire du monument dans
R. DUSSAUD, *MPJ*, pp. 16-17. Voici ce qu'écrit RENÉ DUSSAUD du travail de
reconstitution accompli au musée du Louvre : « *Grâce à l'estampage, presque tous
les morceaux portant des lettres ont retrouvé leur place primitive et les lacunes ont
pu être comblées. Le travail de restitution des parties absentes a été exécuté en plâtre
et d'une façon qui ne permet pas de les confondre avec la pierre originale.* » *MPJ*,
p. 17. Il existe encore au musée du Louvre vingt petits morceaux de la stèle
(*AO* 5060) qui n'ont pas trouvé place dans la reconstitution ; voir *MPJ*, p. 22,
n° 5 et *VT*, 1958, pp. 302-304.

On trouvera une bibliographie complète jusqu'en 1919 sur la stèle de
Mésha dans D. SIDERSKY, *La stèle de Mésa, index bibliographique*, Paris, 1920.
Cette étude est un extrait de la *Revue archéologique* de juillet-décembre 1919,
pp. 59-89. Jusqu'à cette date, l'auteur a relevé 262 numéros, ce qui montre
l'intérêt suscité par la découverte du monument. Depuis cette date, la stèle de
victoire a été étudiée dans tous les dictionnaires ou encyclopédies bibliques
ainsi que dans les histoires d'Israël et les recueils de textes anciens. Parmi les
études récentes, signalons celles de W. F. ALBRIGHT, *ANET*, pp. 320-321 ;
de F. M. CROSS et D. N. FREEDMAN, *EHO*, pp. 35-44 ; A. PARROT, *Le musée du
Louvre et la Bible*, pp. 84-90.

[2] Le nom du père de Mésha était un nom théophore dont seul est conservé
le nom du dieu de Moab, Kemosh. Les exégètes se sont appliqués à compléter
le nom propre auquel il manque probablement deux lettres. Les restitutions les
plus vraisemblables sont encore *Kemoshgad* ou *Kemoshkân*.

[3] Entendons qu'il régna au sud de l'Arnon, puisque le reste de Moab était
alors entre les mains des Israélites.

[4] La stèle de Mésha était probablement érigée dans une sorte de sanctuaire
à ciel ouvert construit sur une hauteur. Ces sortes de sanctuaires appelés hauts-
lieux sont bien connus dans l'antiquité hébraïque. On se rappellera les attaques
prophétiques contre les hauts-lieux : *Osée*, X, 8 ; *Amos*, VII, 9, par exemple.
Esaïe, XVI, 12 parle d'un haut-lieu en Moab. Sur les hauts-lieux en général on se
reportera à l'ouvrage d'A. PARROT, *Le musée du Louvre et la Bible*, pp. 78-83.

Qerihô [1], *ha*[*ut-lieu de sa-*]

4 *lut* [2], *car il me sauva de tous les rois* [3] *et il me fit jouir de la vue de tous mes adversaires (vaincus)* [4]. *Quant à Omri*

5 , *roi d'Israël, il opprima Moab durant de nombreux jours, car Kemosh s'était mis en colère contre son*

6 *pays* [5]. [*Son*] *fils lui succéda* [*et il dit*], *lui aussi:* « *J'opprimerai Moab!* ». *Dans mes jours il avait parlé* [*ainsi*],

7 *mais je jouis de sa vue et de celle de sa dynastie (vaincue). Et Israël fut ruiné d'une ruine éternelle!* [6] *Or Omri avait pris possession du* [*pay*]*s*

8 *de Mêdebâ* [7] *et (Israël) y avait habité en son temps et la*

---

[1] La stèle de Mésha semble appeler Dîbôn tout un district de Moab (lignes 21 et 28). Qerihô pourrait avoir été alors le nom de l'actuelle Dhîbân ; voir *BASOR*, 125, pp. 8-9. Mais le district avait certainement reçu son nom de la ville la plus importante qu'il comprenait dans ses limites, Dibôn. Dans ce cas, Qerihô pourrait avoir été le nom de l'endroit où fut construit le haut-lieu, dans la ville ou aux alentours. On pourrait d'ailleurs rapprocher Qerihô d'un mot hébreu qui signifie « tonsure » ; Qerihô signifierait peut-être alors « endroit dénudé ». Un tel lieu eût parfaitement convenu à la construction d'un haut-lieu. Le mot hébreu « tonsure » dont les consonnes se comparent à celles de Qerihô, se rencontre dans certains oracles prophétiques sur Moab, *Esaïe*, XV, 2 ; *Jérémie*, XLVIII, 37 ; il semble difficile d'y voir des allusions à un nom de lieu oublié ou mal compris. Pour une autre localisation de Qerihô, voir la note 3, p. 40.

[2] C'est une allusion au nom de Mésha qui signifie « délivrance », « salut ».

[3] La lecture du mot « rois » n'est pas certaine. Nous croyons pourtant pouvoir nous prononcer en sa faveur après avoir réexaminé la pierre et l'estampage. Il s'agit des rois ennemis de Moab dont nous connaissons au moins trois par l'Ancien Testament, celui d'Israël, celui de Juda et le gouverneur d'Edom.

[4] Une construction identique se lit dans le *Psaume*, LIX, 11.

[5] Le pays de Kemosh c'est Moab. Cette colère de Kemosh contre son propre pays, explique pourquoi les Israélites ont réussi à occuper si longtemps le pays moabite au nord de l'Arnon. C'est cette colère-là que, d'après le livre des Rois, le sacrifice offert par Mésha détournera des Moabites pour la diriger contre les Israélites (II *Rois*, III, 27).

[6] La dynastie vaincue est la dynastie d'Omri dont Joram est le dernier représentant. On peut donc voir dans ce passage de la stèle ou bien une allusion à la défaite de Joram au sujet de laquelle le livre des Rois est tellement avare de détails (II *Rois*, III, 27), ou bien une allusion au massacre de Jéhu qui mit fin au règne des descendants d'Omri en 842 avant notre ère.

[7] Le nom de lieu est orthographié *Mhdbh*, mais nous le vocalisons comme il nous est donné dans l'Ancien Testament. C'est l'actuelle Mâdabâ à 35 kilomètres au sud de Ammân, ABEL, *Géographie*, II, pp. 381-382.

moitié des jours de sa descendance, quarante ans [1]*, mais*

9 *Kemosh l'a* [ren]*du* [2] *durant mes jours. Et je bâtis* [3] *Baal Meon* [4] *et j'y fis le bassin* [5]*; et je* [bâtis]

10 *Qiryatén* [6]*. Les gens de Gad* [7] *avaient depuis toujours habité le pays d'A*[taro]*t et le roi d'Israël s'y était construit*

---

[1] Tout le passage est d'une interprétation difficile; la traduction en est délicate et varie assez considérablement selon la manière dont on comprend la mention des quarante ans. Si l'on prend la mention des quarante ans au pied de la lettre, voici ce qu'on peut entendre en suivant la chronologie biblique: puisque les quarante ans commencent avec Omri et que celui-ci a régné 12 ans, il faut encore trouver 28 ans de règne pour arriver à la révolte de Mésha, c'est-à-dire à la libération du territoire moabite. Achab a régné 22 ans, Ahazia quelques mois, Joram 12 ans. Les 28 ans nous amèneraient au milieu du règne de Joram. Dans cette façon de comprendre les quarante ans de la stèle de Mésha, une difficulté demeure, c'est de dater du milieu du règne de Joram la répression de la révolte de Mésha que l'Ancien Testament date du début du règne de ce même Joram.

Si, par contre, on prend la mention des quarante ans comme une mention vague pour exprimer le temps moyen d'une génération, à six ans près, la répression de la révolte de Mésha a bien eu lieu au début du règne de Joram comme le laisse entendre le livre des Rois. Pour renforcer cette dernière interprétation, on propose souvent de traduire « la moitié des jours » par quelque chose de plus imprécis « une partie des jours ». Quant à *bnh*, son fils, ou son descendant (petit-fils ou arrière-petit-fils), certains exégètes ont proposé de le traduire par un pluriel pour y comprendre à la fois Achab, Ahazia et Joram. On pourrait aussi admettre que le mot *bn* a la valeur d'une sorte de collectif pour désigner l'ensemble des descendants: *sa descendance*. Peut-être est-ce ainsi qu'il faudrait aussi traduire le même mot à la ligne 6 de la stèle?

Quoi qu'il en soit de toutes les difficultés que nous avons mentionnées, il reste que Mésha, puisqu'il parle de la moitié des jours des successeurs d'Omri, en a connu la totalité au moment où il fait rédiger sa stèle de victoire. Celle-ci aura donc été érigée pendant le règne de Jéhu, toujours d'après la chronologie biblique.

[2] C'est le pays de Moab qui est au nord de l'Arnon que Kemosh rend à Mésha.

[3] Le même verbe signifie à la fois bâtir et rebâtir. Il faut généralement considérer que l'œuvre de Mésha fut plutôt de fortifier des villes existantes et de les préparer à supporter des sièges, que d'en fonder d'absolument nouvelles.

[4] C'est l'actuelle Mâîn, ABEL, *Géographie*, II, p. 259.

[5] Il s'agit probablement d'un réservoir destiné à collecter l'eau pendant la saison des pluies. Il en existe encore dans les sites de Transjordanie, voir A. PARROT, *Le musée du Louvre et la Bible*, p. 88, note 3.

[6] Peut-être est-ce l'actuelle Hirbet el-Qureiyât, à 21 kilomètres au sud-ouest de Mâdabâ? Voir ABEL, *Géographie*, II, p. 419.

[7] C'est-à-dire des Israélites.

11 *Atarot* [1]. *Je combattis contre la cité et je la pris. Et je tuai tout le peuple de*

12 *la cité pour rassasier Kemosh et Moab* [2]. *De là j'emmenai captif Ariél son chef* [3] *et je le*

13 *traînai devant Kemosh à Qeriyot* [4]. *J'y installai les gens de Saron et les gens de*

14 *Maharot* [5]. *Et Kemosh me dit:* « *Va, prends Nebô* [6] *sur Israël!* » *[J'al-]*

15 *lai de nuit et je combattis contre elle depuis le lever de l'aube jusqu'à midi. Et je*

16 *la pris et je la détruisis toute* [7], *sept mille, hommes dans la force de l'âge [et vieill]ards, femmes dans la force de l'âge et [vieilles fem-]*

17 *mes* [8] *et concubines, car à Ashtar Kemosh je les avais voués* [9]. *Et je pris de là [les va-]*

[1] C'est l'actuelle Hirbet Atârûs, ABEL, *Géographie*, II, p. 255. Ici encore la ville principale a donné son nom au district environnant.

[2] La terrible pratique du *hèrèm* était habituelle aux populations de ces régions comme nous le savons par le livre de Josué, *Josué*, VI, 21, 24.

[3] Mot à mot « *son dawid* ». Pour cette traduction, voir *RB*, 1948, p. 266, note 1, et W. F. ALBRIGHT, *Die Religion Israels*, p. 244, note 91. Le mot *dawidum* au sens de chef a été lu dans les textes de Mari, voir A. PARROT, *Syria*, 1951, pp. 347-348, et R. DUSSAUD, *ibidem*, p. 348. David, roi des Hébreux, porte un nom très significatif: nomen est omen.

[4] Pour la localisation de ce site, on consultera ABEL, *Géographie*, II, p. 422 et *COOKE*, p. 11. Ce dernier renvoie justement à *Amos*, II, 2 et à *Jérémie*, XLVIII, 24.

[5] La forme verbale *'shb* doit être comprise comme une première personne à la voix hiphil du verbe *yshb*. On ne sait guère où il faut localiser Saron et Maharot, voir DUSSAUD, *MPJ*, p. 11.

[6] Pour la localisation de ce site, voir ABEL, *Géographie*, II, pp. 397-398.

[7] Nous restituons ici le verbe détruire, *hrs*, au lieu du verbe tuer, *hrg*. Nous renvoyons à *Exode*, XV, 7 où il est dit que Dieu détruit ceux qui se dressent contre lui. Ensuite nous lisons, d'accord avec CLERMONT-GANNEAU, *JA*, 1887, pp. 96-97, *klh* dont le *h* se rapporte à la ville de Nebô.

[8] Nous proposons la restitution suivante: *gbr[n + ws]bn wgbrt + w[sb]t*. Dans *Josué*, VI, 21, il est aussi parlé des vieillards, avec un autre mot.

[9] Sur Ashtar Kemosh, on consultera W. F. ALBRIGHT, *Die Religion Israels*, p. 90, qui y voit une divinité mâle. A. PARROT, *Le musée du Louvre et la Bible*, p. 87, note 11, y voit une divinité féminine, parèdre de Kemosh. En dernier lieu, A. CAQUOT, *Syria*, 1958, pp. 50-51, considère Ashtar Kemosh comme le « nom complet » du dieu de Moab.

18 ses de Yahvé[1] et je les traînai devant Kemosh. Or le roi
d'Israël avait bâ[ti]]

19 Yahats[2] et il y habitait lorsqu'il combattait contre moi[3].
Mais Kemosh le chassa devant [moi].

20 Je pris de Moab deux cents hommes, tous ses chefs[4], et je les
portai contre Yahats et je la pris

21 pour l'annexer à Dîbôn. C'est moi qui ai bâti Qerihô, la
muraille des forêts et la muraille de

22 la citadelle[5]. C'est moi qui ai bâti ses portes et moi qui ai
bâti ses tours. C'est

23 moi qui ai bâti le palais du roi et moi qui ai fait les (murs de)
soutènement du bas[sin pour les e]aux[6] au milieu de

24 la cité. Il n'y avait pas de citerne au milieu de la cité, dans
Qerihô, aussi donna-t-on cet ordre à tout le peuple : « Faites-

---

[1] La graphie du nom du dieu d'Israël est *Yhwh*, comme dans les documents
bibliques. Il y avait probablement un temple consacré à Yahvé en cet endroit.

[2] Sur les hésitations pour localiser la ville de Yahats, on consultera ABEL,
Géographie, II, p. 354.

[3] Il y a probablement ici une allusion à des combats ou plutôt à des coups de
main qui précédèrent la défaite de Joram ou la suivirent.

[4] Nous croyons que cette traduction reste conjecturale.

[5] Les forêts dont il est parlé étaient peut-être une sorte de parc planté pour
la cour de Mésha (DUSSAUD, *MPJ*, p. 14). On pourrait également admettre qu'il
s'agissait d'un édifice dont les nombreuses colonnes de bois étaient comparables
à des forêts ; on comparera dans l'Ancien Testament « la maison de la forêt du
Liban » (I *Rois*, VII, 2-5) ainsi appelée pour la même raison.

La citadelle, c'est-à-dire l'ophèl, l'enflure, désigne une élévation naturelle
facile à fortifier pour y résister lors des assauts ennemis. L'Ophel de Jérusalem,
au sud-est de l'enceinte du Temple, était célèbre et était aussi fortifié, II *Chroniques*, XXVII, 3, par exemple.

[6] Nous expliquons le mot *kl'y* par le verbe *kl'* qui signifie *retenir*. Il doit
s'agir des murs de *soutènement* destinés à retenir les terres et à prévenir les ébou-
lements qui pourraient combler le bassin. Ensuite nous lisons : [+ *I*]*myn* +
ensemble dans lequel le *m* est moins certain que *yn*, mais très vraisemblable. La
restitution de *EHO*, p. 41, n° 56, [*lm'*]*yn*, est trop longue. Les eaux dont il est
question dans *lmyn* sont, ou bien les eaux de pluie que recueillera le bassin, ou
bien peut-être les eaux d'une source qu'on y conduira par des canaux, comme
l'aqueduc d'Ezéchias à Jérusalem. Si cette dernière possibilité devait être retenue,
il faudrait alors peut-être traduire de la manière suivante la seconde partie de la
ligne 25 : « *Et je fis tailler les canaux pour Qerihô* », c'est-à-dire les canaux destinés
à conduire les eaux jusqu'au bassin. Voir A. PARROT, *Le musée du Louvre et la
Bible*, p. 88 et note 5.

25 *vous, chacun, une citerne dans votre maison!* » *Et je fis tailler*
   les poutres [1] *pour Qerihô par les prison-*

26 *niers d'Israël. C'est moi qui bâtis Aroér* [2] *et c'est moi qui fis*
   la route dans (la vallée de) l'Arnon [3].

27 *C'est moi qui (re)bâtis Bet Bamot* [4], *car elle était détruite.*
   C'est moi qui (re)bâtis Bètsèr [5], *car en ruines*

28 [*elle était, avec*] *cinquante hommes de Dîbôn, car tout Dîbôn*
   est sous mon obédience. Moi je ré-

29 *gnai* [*sur la*] *centaine de cités* [6] *que j'avais annexées au pays*
   (de Moab). C'est moi qui bât-

---

[1] Il y a ici un schéma étymologique *krty* + *hmkrtt*, bien difficile à rendre
en français, d'autant plus qu'une incertitude demeure quant au sens exact à
donner au substantif *mkrt*. Nous avons adopté la traduction proposée par W. F.
ALBRIGHT, dans *ANET*, pp. 320-321. En effet, en hébreu le verbe *krt* s'emploie
surtout pour dire « couper (du bois ou des arbres) », voir *COOKE*, p. 13. Les poutres
avaient leur utilité dans les grandes constructions royales entreprises par Mésha
à Qerihô. Mais d'autres traductions sont possibles dont nous avons indiqué
l'une à la fin de la note précédente. Une autre consiste à rendre le mot en
litige par *fossé* et le verbe par *creuser*, mais c'est alors le verbe *krh*, DUSSAUD,
MPJ, p. 8.

[2] C'est aujourd'hui le Hirbet Arâir, au bord de l'Arnon ; voir ABEL, *Géographie*, II, p. 250.

[3] Arnon est le nom ancien d'un affluent de la mer Morte ; son nom actuel
est Seil el-Môdjib ; voir ABEL, *Géographie*, I, p. 177. La route qui franchissait
l'Arnon reliait les deux parties de Moab séparées par les gorges profondes creusées par le cours d'eau dans le plateau transjordanien. Avec beaucoup de vraisemblance, R. DUSSAUD (*MPJ*, p. 14) admet que la route construite par Mésha
passait par Aroèr ; en effet, la stèle mentionne la construction de la route, ligne 26,
après avoir parlé, dans la même ligne, de Aroèr, et dans la ligne précédente
de Qerihô. La mention de Qerihô, immédiatement avant Aroèr, a conduit
le même auteur à localiser Qerihô dans un site différent de Dhîbân, au
sud de l'Arnon. Dans ce cas, la route franchissant l'Arnon allait de Qerihô
à Aroèr.

[4] Pour la localisation peu assurée de cette ville, voir ABEL, *Géographie*, II,
p. 261.

[5] Nous vocalisons d'après l'Ancien Testament. C'est peut-être Umm el-
Amad à 14 kilomètres au nord-est de Mâdebâ, ABEL, *Géographie*, II, p. 264.

[6] Nous avons affaire à une construction grammaticale encore vivante en
hébreu moderne, *mé'ôt bashshânîm* = des centaines d'années, c'est-à-dire, des
centaines parmi les années. Dans la stèle, m't + bqrn = la centaine de cités ou
bien, au pluriel, les centaines de cités. W. F. ALBRIGHT, *ANET*, pp. 320-321,
a correctement traduit. Les références bibliques avancées par DONIACH, ne nous
semblent pas faire beaucoup progresser l'explication du même passage ; voir
N. S. DONIACH, *The Moabite Stone, lines 28-31, PEQ*, 1932, pp. 102-103.

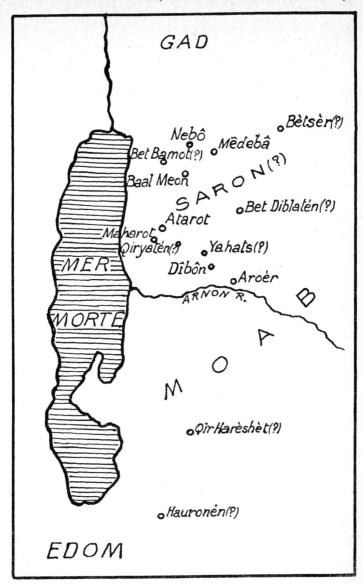

Fig. 6. Le pays de Moab. (Voir aussi la pl. I, *b*.)

30 is [aussi Mêdeb]â et Bet Diblatén [1]. Quant à Bet Baal
   Meon j'y ai mis [2] [des vigne-

31 rons et des bergers pour le] [3] petit bétail du pays. Quant à
   Hauronén [4], y habitait........

32 .... Kemosh me dit : « Descends, combats contre
   Hauronén! » Je [descendis et je

33 combattis contre elle et je la pris. Et y habi]ta Kemosh en mes
   jours...... de là.....

34 .... la pluie tomba abon-
   damment [5]. Et....

Nous sommes loin de pouvoir indiquer avec précision sur
une carte l'emplacement géographique de tous les lieux mentionnés dans cette stèle de victoire (fig. 6). Aussi nous est-il
impossible de retracer en détails le plan de campagne de
Mésha, d'abord contre Israël et peut-être ensuite contre Edom.
Il est probable que les victoires de Moab furent la réussite
de coups de main séparés qui aboutirent à la libération du
territoire moabite occupé. Mais Mésha ne se contenta pas de
libérer des villes, il en bâtit certaines, il en rebâtit d'autres,

---

[1] On l'identifie à une double ruine du nom de Deleilat, voir ABEL, *Géographie*,
II, p. 269.

[2] Nous donnons à ce verbe un sens en rapport avec la restitution qui suit.

[3] La restitution proposée est due à N. S. DONIACH, *PEQ*, 1932, p. 103.
A notre avis, on ne peut avoir d'autre ambition, en la reprenant, que de donner
une idée générale du contenu du texte et du développement de la pensée.

[4] Pour la localisation de cette ville, voir ABEL, *Géographie*, II, p. 350. « *Puisque
Hauronén se trouve au sud et en dehors de la zone d'occupation israélite, il est vrai-
semblable que ces lignes donnaient un rapport des campagnes contre les Edomites* »,
COOKE, p. 14.

[5] *shdq* est très clair sur l'estampage. Nous rapprochons ce mot du verbe
arabe *thadaqa* qui signifie « tomber en abondance » en parlant de la pluie. Après
avoir fait creuser des bassins et des citernes, comment Mésha n'eût-il pas attendu
les pluies célestes. C'était peut-être d'elles qu'il parlait ici, pour souligner la
prospérité de son règne. Le thème de la prospérité économique et sociale — dans
les pays orientaux la prospérité dépend de la régularité et de l'abondance des
pluies — revient sur les stèles royales araméennes et se retrouve dans l'idéologie
relative au roi et au messie en Israël. Il serait bien étonnant que Mésha n'ait pas
parlé de la prospérité de son règne, et nous pensons qu'il l'a fait dans les lignes
mutilées de la fin où heureusement nous pouvons encore lire un verbe révélateur.

entendons qu'il les fortifia. Par des constructions de bassins pour l'approvisionnement en eau, il voulut faire de ces villes, des forteresses qui pourraient résister à de longs sièges. Mésha se vante encore d'avoir construit la route de l'Arnon qui permettait probablement de meilleures communications entre les deux parties de Moab, celle du sud et celle du nord qui venait d'être reconquise. Cependant, le plus beau fleuron de la couronne que s'octroie le roi victorieux, ce sont les grands travaux qu'il fit exécuter dans Qerihô, sa capitale.

C'est pour les retrouver que des fouilles ont été entreprises à Dhîbân en novembre 1950 par les Américains. Jusqu'en 1956, six brèves campagnes ont eu lieu [1]. Dans les premières campagnes on a seulement réussi à mettre au jour des éléments architecturaux appartenant à des périodes tardives, romaine ou byzantine. Même à l'endroit où la tradition locale indique que fut trouvée la stèle de Mésha [2], la pioche et la pelle n'ont permis de dégager que des bâtiments récents. Mais en 1956 on a découvert une partie des remparts de la ville ancienne, particulièrement la porte nord gardée par de puissantes tours et un édifice qui fut peut-être un temple. Cinq tombes, creusées au flanc de la colline, sont vraisemblablement de l'époque de Mésha. Malheureusement, elles avaient été pillées dans le passé. Un sondage a corroboré les résultats de l'exploration de surface : la ville qui fut fondée au bronze ancien, fut probablement abandonnée au bronze moyen et au bronze récent, mais réoccupée à l'époque du fer.

---

[1] F. W. WINNETT, *Excavations at Dibon in Moab, 1950-51*, *BASOR*, 125. pp. 7-20. A. DOUGLAS TUSHINGHAM, *Excavations at Dibon in Moab, 1952-53*, *BASOR*, 133, pp. 6-26. Des résumés des cinq premières campagnes sont donnés dans *BA*, 16, p. 6 et *RB*, 1954, pp. 562-563. Le résumé de la sixième campagne est donné dans *RB*, 1957, pp. 221-223. Cette dernière campagne est aussi parfois appelée cinquième dans la mesure où l'on ne tient pas compte d'un sondage initial qui vaut pour une campagne.

[2] Voir la note 2, p. 33. En 1898, LUCIEN GAUTHIER passant par Dhîbân, a interrogé les Arabes du lieu; ceux-ci se rappelaient fort bien l'emplacement de la stèle; voir *Autour de la mer Morte*, pp. 95-97.

Ce que le méthodique travail des fouilles n'a pas réussi à obtenir, le hasard nous l'a livré. Richard Palmer qui visitait les chantiers de Dhîbân le 23 avril 1951, remarqua à même le sol au nord-est du tell un morceau de basalte inscrit de

Fig. 7. Fragment d'une inscription moabite.

quelques lettres qui ressemblent à celles de la stèle de Mésha[1] (fig. 7). Le fragment est petit, 4 cm × 5, mais il est instructif[2]. Il n'appartient pas à la stèle de Mésha. Albright pense qu'il est plus ancien que la stèle[3]. Il est difficile d'en décider, car le fragment offre trop peu de lettres pour les comparer utilement à celles de la stèle de victoire. Le fragment, où l'on peut lire « *temple de Ke*[*mosh*] » a pu appartenir à une stèle érigée, comme le fut celle de Mésha, pour commémorer quelque grand événement ou pour exalter le règne d'un roi de Moab, fidèle adorateur de Kemosh. La découverte, à quatre-vingts ans de distance, de la stèle et du fragment écrit, doit nous laisser espérer qu'en fouillant au bon endroit on mettra au jour d'autres stèles qui contribueront à notre connaissance de l'histoire de Moab qui est tellement mêlée à l'histoire d'Israël. A défaut de stèle, la campagne de 1956 à Dhîbân a livré un ostracon, le premier ostracon moabite, et une anse de jarre portant incisée la lettre *k*[4].

---

[1] ROLAND E. MURPHY, *A Fragment of an Early Moabite Inscription from Dibon*, BASOR, 125, pp. 20-23.

[2] Les mots de la stèle de Mésha sont séparés par des points. Le fragment confirme cet usage ancien. Nous pouvons conclure de là que les textes bibliques mis par écrit à cette époque distinguaient nettement les mots les uns des autres en les séparant par des points; c'est une des conditions requises pour la transmission fidèle d'un texte de génération en génération.

[3] *BASOR*, 125, p. 23, note 12.

[4] *RB*, 1957, pp. 222-223.

La sobriété du récit de II *Rois*, III, où les Israélites vaincus cherchent à minimiser leur défaite, est pour nous heureusement compensée par la touchante emphase du roi Mésha, ce fervent guerrier de Kemosh dont la figure nous rappelle celle des rois hébreux entièrement dévoués à la cause de Yahvé.

CHAPITRE V

Les inscriptions de Qasîleh et de Hatsor

De Moab nous passons maintenant à la Palestine proprement dite. Nous nous occuperons d'abord des inscriptions du royaume d'Israël, celles de Qasîleh et de Hatsor ainsi que les ostraca de Samarie, puis des inscriptions du royaume de Juda.

LES OSTRACA DE TELL QASILEH

Le tell Qasîleh est dans la banlieue nord de Jaffa-Tell Aviv, non loin de la mer Méditerranée. De 1948 à 1950, B. Maisler y conduisit des fouilles [1] qui lui permirent de retrouver là un ancien port, peut-être l'antique Jaffa [2], le lieu où, d'après l'Ancien Testament (II *Chroniques*, II, 15 et *Esdras*, III, 7), arrivaient par mer les bois du Liban pour être transportés à Jérusalem. Les fouilles ont révélé à Qasîleh une importante occupation du site à l'époque du fer. Il y avait là, au temps des rois d'Israël et de Juda, un port qui tenait la Palestine en relation commerciale avec Chypre, la Phénicie, l'Egypte. Dans la ville ancienne on a mis au jour de grands magasins où semblent avoir été entreposés principalement le vin et l'huile. Mais on y trafiquait aussi le bois du Liban, ce que nous a appris l'Ancien Testament, et d'autres matières, comme l'or.

[1] B. MAISLER, *The Excavation of Tell Qasile*, *BA*, 14 (1951), pp. 43-49.
[2] *Ibidem*, p. 43.

Deux ostraca trouvés sur le site avant les fouilles, l'un en octobre 1945, l'autre en mai 1946 [1], prouvent ce que nous venons de dire du commerce de l'huile et de celui de l'or. Les deux ostraca, tant par la qualité de la poterie que par la forme des caractères qu'ils portent, se datent du VIIIe siècle avant notre ère [2].

Voici le premier (fig. 8) : ([1]) *Pour le roi* (ou *Du roi*); *mille (mesures)* ([2]) *d'huile et cent.* ([3]) *[H]iyahu.*

Fig. 8.   Inscription de Qasîleh n° 1.

On peut comprendre qu'il s'agit d'une étiquette qui accompagnait un envoi de 1100 mesures d'huile au roi [3] par un nommé [H]iyahu [4] ou [Ah]iyahu, probablement un intendant royal. Si, au lieu de « Pour le roi », on traduit « Du roi », on entend par là que cette expression est une sorte de garantie que le présent envoi est conforme aux mesures étalons dont se sert l'administration royale [5]; dans ce cas, l'envoi provenait des magasins royaux et était destiné à l'exportation [6].

Voici le second ostracon (fig. 9) : ([1])*Or d'Ophir pour Bet Horon* (ou *pour le temple de Horon*) ([2]), *30 sicles* [7]. Cet ostracon

---

[1] Les deux ostraca ont été étudiés par B. MAISLER, *Two Hebrew Ostraca from Tell Qasîle*, *JNES*, 10 (1951), pp. 265-267; les photographies sont à la planche XI.

[2] *Ibidem*, p. 265.

[3] C'est, semble-t-il, l'interprétation de S. MOSCATI, *L'epigrafia*, p. 113, n° 10.

[4] Nous lisons ainsi avec B. MAISLER, *JNES*, 10 (1951), p. 266.

[5] En traduisant de cette manière, on donne à l'expression *lmlk*, une des significations qu'on lui attribue sur les estampilles royales.

[6] C'est l'interprétation de B. MAISLER, *ibidem*.

[7] Nous lisons ainsi avec B. MAISLER, *ibidem*, pp. 266-267.

encore est une sorte d'étiquette qui accompagnait un envoi
de 30 sicles d'or d'Ophir, soit un peu plus de 400 grammes et
un peu moins de 500. L'or d'Ophir nous est bien connu par
l'Ancien Testament, mais la région qui est appelée Ophir
et où l'on cherchait le précieux métal est encore pour nous
enveloppée de mystère. Seraient-ce les Indes, l'Afrique,
l'Elam? D'après les indications de l'Ancien Testament, Ophir
était entre Sheba et Havila (*Genèse*, X, 28-29) et pouvait être
atteint par mer depuis Etsion Gèbèr qui était au fond du golfe
d'Akaba (I *Rois*, IX, 26-28 et II *Chroniques*, VIII, 18; I *Rois*,
X, 11 et II *Chroniques*, IX, 10; I *Rois*, XXII, 49). On localise
donc généralement Ophir sur une des côtes de l'Arabie [1]. On
peut maintenant se demander, puisque l'or d'Ophir arrivait
en Palestine par la Méditerranée, ou bien si Ophir ne serait
pas à chercher ailleurs qu'en Arabie, ou bien plutôt si, au
VIIIe siècle, l'or d'Ophir n'était pas l'objet d'un trafic par
caravanes jusqu'à un port de la Méditerranée où l'auraient
pris les navires palestiniens pour l'apporter à Jaffa. Il se peut
enfin que le nom d'or d'Ophir ait été à cette époque appliqué
à de l'or de n'importe quelle provenance, en raison de la
renommée ancestrale d'Ophir.

Qui était le destinataire de l'envoi des 30 sicles d'or?
On peut traduire par un nom de ville : Bet Horon. Il s'agirait
alors probablement d'une des deux villes d'Ephraïm appelées
de ce nom dans l'Ancien Testament [2]. Mais on peut traduire
aussi « maison de Horon », c'est-à-dire « temple du (dieu)
Horon », une divinité cananéenne [3]. Si l'on traduit de la seconde
manière, il s'agirait d'or vraisemblablement destiné à orner un
temple païen. On sait qu'il y avait beaucoup d'or dans le temple

---

[1] *Lexicon*, p. 21.

[2] ABEL, *Géographie*, II, pp. 274-275.

[3] Voir B. MAISLER, *JNES*, 10 (1951), p. 267. Sur le dieu Horon, voir R.
DUSSAUD, *Les religions des Hittites et des Hourrites, des Phéniciens et des Syriens*,
collection *Mana* 1, II, Paris, 1945, pp. 358, 363 et 402 et J. GRAY, *The Legacy
of Canaan*, Leiden, 1957, pp. 132-133.

a) Un ostracon de Hatsor.

p. 51

D'après *BA*, 1957.
(Avec l'aimable autorisation
du professeur Yadin)

b) ostracon de
arie nᵒ 14.
p. 56

s BIRNBAUM,
ebrew Scripts.
l'aimable auto-
n de l'auteur)

c) L'ostracon de Lakish nᵒ 2. p. 84

Photographie Harrison & Sons Ltd.
(Copyright : By permission of the Trustees of
the late Sir Henry S. Wellcome)

a) Ostracon n° 30.   *p. 55*

b) Ostracon C 1101.   *p. 62*

PL. IV.   Ostraca de Samarie.

Fig. 9. Inscription de Qasîleh nº 2.

de Jérusalem. S'il fallait retenir la possibilité d'un envoi d'or à un sanctuaire cananéen, ne serait-il pas piquant de penser qu'un adorateur de Yahvé, Hiyahu, a pu participer au commerce de l'or pour un temple dédié à un baal?

* * *

LES TEXTES DE HATSOR

La ville de Hatsor nous est bien connue par l'Ancien Testament. C'est elle que Josué prend et brûle lorsqu'il a conquis le nord de la Palestine (*Josué*, XI, 10-13). Hatsor était, nous le savons par des documents anciens, une très importante cité, déjà avant l'arrivée des troupes de Josué. Après quelques sondages du professeur Garstang en 1928, des fouilles y ont été entreprises en août 1955 et jusqu'à maintenant les résultats des trois premières campagnes ont été rendus publics dans des rapports préliminaires [1]. C'est pendant les seconde et troisième campagnes qu'ont été découverts de courts textes, incisés ou peints, en hébreu de l'époque des Rois. Ce sont les premières inscriptions hébraïques anciennes qui proviennent de Galilée [2]. De là vient leur importance extrême malgré leur brièveté. Elles prouvent en effet qu'à l'époque de la monarchie divisée, l'écriture était la même du nord au sud de la Palestine et par conséquent aussi la culture, puisque l'écriture était alors un de ses plus puissants véhicules (pl. III). Peut-être cette unité provenait-elle de l'influence centralisatrice de David et de Salomon? Il est en tout cas remarquable que le schisme n'ait pas réussi à la rompre.

L'une des inscriptions de la deuxième campagne, incisée sur une jarre (fig. 10), fut découverte dans une maison, celle d'un marchand du temps de Jéroboam II (786-746), nous dit-on [3]; elle porte le nom du maître de céans, *A Makbiram*, un nom qui ne nous est pas connu dans la Bible [4].

---

[1] Pour la première campagne, on consultera *BA*, 19 (1956), pp. 2-12. Pour la deuxième campagne, voir *BA*, 20 (1957), pp. 34-47. Pour la troisième campagne, voir *The Illustrated London News*, 1958, pp. 633-635 et 730-733 et la *RB*, 1958, pp. 260-263. Au cours de la troisième campagne, deux brèves inscriptions hébraïques ont été découvertes, différentes de celles de la seconde campagne dont nous parlons dans ce paragraphe. Une seule des deux a été publiée en photographie, *The Illustrated London News*, 1958, fig. 9, p. 732. Elle se lit à l'extérieur d'une coupe. Y. YADIN, *ibidem*, p. 730, y reconnaît le mot *Qdsh* « qui peut être interprété de différentes manières: Qodesh = saint; ou Qedesh, le nom d'une cité voisine. » Nous proposons de lire: $y r h + q d sh$, mois sacré. Au-dessus de $y r h$, nous lisons un *m* et peut-être après lui un *z*. Ce sont des conjectures qui doivent être soumises à l'examen de l'original, surtout pour le *r* de $y r h$ qu'on pourrait être tenté de lire *h*.

[2] Voir *BA*, 20 (1957), pp. 36-37 et 39-40.

[3] *Ibidem*, p. 37.

[4] L'habitude de marquer les jarres du nom de leur propriétaire était alors, en usage dans toute la Palestine. On se reportera au fragment découvert à Sichem marqué de deux lettres *qy*, partie d'un nom propre vraisemblablement, *BA*, 20 (1957), pp. 97, 99 et figure 10. Le fragment de Hirbet el-Maqârî n'a lui aussi que deux lettres, *l'*, *A X*, *BASOR*, 142 (1956), pp. 13-14 et figure 5. Un fragment avec trois lettres a été trouvé à Bethsour, voir *RB*, 1958, p. 267 et *BA*, 21

De la même maison provient une seconde inscription qui est un ostracon écrit probablement au pinceau (pl. III, a). Le fouilleur lit: (¹) *Jéroboa[m]* (²) *fils d'Elm[atan]* (ou *d'Elim [èlèk]*). A titre de conjecture, nous proposons de lire: (¹) *A séjourné dans la [ville, X]* (²) *fils d'Elm[atan]* (ou *d'Elim[èlèk]*) ¹. L'ostracon serait alors un billet des services administratifs et la maison de Makbiram, sise à côté du grand bâtiment public, serait celle d'un des plus importants personnages de l'administration de Hatsor.

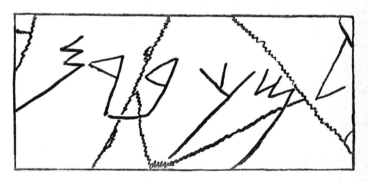

Fig. 10.   Inscription au nom de Makbiram.

Enfin, dans les ruines de la citadelle israélite détruite par Tiglatpilésèr en 732 avant notre ère, II *Rois*, xv, 29 ², on a découvert une brève inscription sur une jarre à vin, indiquant le nom du destinataire de celle-ci: *Pour Pèqah*, et la qualité

(1958), p. 75. Nous lisons: *ly.* [, *A Y.*[; la troisième lettre, notée ici par un point, peut être un *m*, un *n* ou un *p*. On peut hésiter entre un nom de personne et de lieu. Le fragment de Bethsour est plus récent que les deux précédents.

¹ Nous lisons : ¹ *ġr* + *bʿ[r X]* ² *bn 'lm[*. Selon nous, l'ostracon serait complet à droite et à compléter à gauche. Après les deux premières lettres de la ligne 1, nous voyons un point séparatif. Tout cela devrait, naturellement, être vérifié sur l'original.
² Voir *BA*, 20 (1957), pp. 38-39.

du vin *fait de grappes tendres* [1]. Ce Pèqah était-il le roi d'Israël sous le règne de qui Hatsor fut détruite par les Assyriens? Voici en effet ce que dit la Bible: « *Dans les jours de Pèqah, roi d'Israël, vint Tiglatpilésèr, roi d'Assyrie, et il prit ... Hatsor...*» (II *Rois*, XV, 29). La découverte dans les ruines de la ville brûlée au temps du roi Pèqah d'une inscription attestant un envoi de vin fin à un nommé Pèqah, ne laisse pas d'exciter l'imagination. Il est possible qu'il s'agisse d'un autre personnage que le roi, mais il est possible aussi qu'il s'agisse du roi lui-même.

---

[1] *Ibidem*, pp. 39-40. Le mot signifiant « fait de grappes tendres », *smdr*, s'il a été lu correctement par les fouilleurs, est un mot d'interprétation difficile qui se lisait dans la Bible seulement dans *Cantique*, II, 13, 15; VII, 13.

CHAPITRE VI

Les ostraca de Samarie

Depuis le règne du roi Omri, le royaume d'Israël avait Samarie pour capitale [1]. Deux séries de fouilles y furent menées, l'une de 1908 à 1910, l'autre de 1931 à 1935 [2]. En 1910, dans

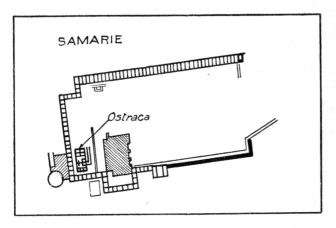

Fig. 11.   Lieu où furent découverts les ostraca de Samarie.

une dépendance du palais royal, fut mis au jour, peu à peu, un lot de 75 ostraca écrits à l'encre dont 67 seulement sont lisibles (fig. 11). En 1932, un autre ostracon, écrit à la pointe,

[1] Pour tout ce qui a trait à l'histoire de la ville de Samarie, on consultera l'ouvrage d'A. Parrot, *Samarie capitale du royaume d'Israël*.

[2] *Ibidem*, pp. 38-45.

fut découvert à l'est de la ville [1]. Nous examinerons successivement les ostraca de 1910 et celui de 1932.

LES OSTRACA DE 1910 [2]

Ils forment un lot homogène puisqu'ils semblent tous avoir servi d'étiquettes pour accompagner des jarres [3] de vin vieux et d'huile surfine destinées au palais royal de Samarie. Il serait fastidieux de les traduire les 67, aussi nous contenterons-nous de rendre en français les plus caractéristiques pour montrer la diversité des formules employées.

Voici d'abord une étiquette toute simple, donnant le nom du cru contenu dans la jarre; c'est le n° 62 de la collection: *Vin de Shemida* [4]; comme nous disons encore aujourd'hui, par exemple, « vin d'Alsace ». Cette étiquette est unique en son genre dans le lot parvenu jusqu'à nous.

D'autres étiquettes sont plus explicites qui nous fournissent à la fois le nom et l'année du cru, qu'il s'agisse de vin ou qu'il s'agisse d'huile. N° 63 : (1) *En l'an 17* (2) *(provenant) de Shemida.* N° 61 : (1) *Kèrèm-ha-Tél* [5] (ou *Vignoble de Hatél* [6]),

---

[1] Quelques autres fragments inscrits furent mis au jour, voir DIRINGER, *Le iscrizioni*, pp. 70-74.

[2] On trouvera une bibliographie du sujet dans l'ouvrage de DIRINGER, *Le iscrizioni*, pp. 21-68, et dans celui de A. PARROT, *Samarie capitale du royaume d'Israël*, p. 54, note 4.

[3] Le lieu où les ostraca ont été découverts, était probablement l'entrepôt où s'entassaient les jarres destinées au palais. Nous savons par II *Chroniques*, XXXII, 28-29, que de tels entrepôts existaient pour le blé, le vin nouveau et l'huile, dans le royaume de Juda.

[4] Shemida était très probablement un district, peut-être à l'ouest de Samarie; voir MOSCATI, *L'epigrafia*, pp. 28-29 et ABEL, *Géographie*, II, p. 96. En *Josué*, XVII, 2, Shemida est l'un des fils de Manassé.

[5] Pour l'identification de ce village, on consultera DIRINGER, *Le iscrizioni*, p. 54, n° 13.

[6] Le mot *kèrèm, vignoble*, pouvait certes faire partie d'un nom de lieu et n'être plus senti comme un nom commun, mais il est aussi très possible de lui conserver sa valeur de nom commun et de voir dans l'ensemble la désignation du lieu de provenance de l'envoi et par sa nature et par le nom propre du village: vignoble de Hatél.

(²) *en l'an* 15; ne disons-nous pas encore: un Pomerol 1950? Nᵒ 55: (¹) *En l'an dix, Kèr* (²) *èm Yehoélî* [1] (ou *vign* (²) *oble de Yehoélî* [2], *une jarre* (³) *d'huile raffinée* [3]. Le nᵒ 54 est une étiquette pour un envoi de vin et d'huile: (¹) *En l'an dix, vin de Kè* (²) *rèm-ha-Tél* (ou *vin du vi* (²) *gnoble de Hatél*), *une jarre d'huile raffiné*(³)*e*; à moins qu'il ne faille comprendre, comme au nᵒ 53, que le vin avait été versé dans une jarre à huile [4]: (¹) *En l'an dix, vin de* (²) *Kèrèm-ha-Tél* (ou *vin du* (²) *vignoble de Hatél*) *dans* [5] *une jarre d'huile* (³) *raffinée* [6].

Une autre série d'ostraca est composée d'étiquettes qui donnent plus d'indications que les précédentes. Voici le nᵒ 30 (pl. IV, a): (¹) *En l'an 15, (provenant) de Shemida*, (²) *pour Hèlèts (fils de) Gaddiyô* [7]; (³) *Géra (fils de) Hana* [8]. L'ostracon

[1] La localisation de ce village est difficile, voir Diringer, *Le iscrizioni*, p. 54, nᵒ 14.

[2] Pour cette possibilité de traduire, voir la note 6, p. 54. Il semble ressortir de cet ostracon que le mot *kèrèm* désignait un lieu planté de vignes et d'oliviers.

[3] Le R. P. Savignac a donné les raisons de la traduction que nous adoptons; voir *RB*, 1935, pp. 292-293. L'huile sortant du pressoir était probablement *lavée* dans de l'eau chaude salée pour la clarifier. Il faut donc lire le mot *rḥts* comme un participe passif qal: *râḥûts*. Il va de soi que cette huile surfine était destinée aux onctions corporelles, c'est-à-dire à la toilette des membres de la cour. Cette explication nous semble concilier les divergences que signale A. Parrot, *Samarie, capitale du royaume d'Israël*, p. 56, note 2.

[4] Cela n'est vrai que si la lecture de l'ostracon nᵒ 53, qui est celle que nous trouvons dans l'ouvrage de Diringer, *Le iscrizioni*, p. 35, se confirme à la suite d'un examen du texte original et de photographies.

[5] Si la lecture matérielle de la préposition *b* se vérifie, il semble difficile de traduire autrement que par « dans ». Le vin aurait été versé dans une jarre ayant précédemment contenu de l'huile? On pourrait à la rigueur admettre que *b* exprime une idée d'accompagnement, *avec*, voir P. Joüon, *Grammaire de l'hébreu biblique*, § 133 c, p. 404. Il faudrait alors penser que l'étiquette accompagnait un envoi de deux jarres, l'une de vin et l'autre d'huile.

[6] S'il faut en rester à la traduction la plus probable, il est peut-être permis de penser que les jarres à vin avaient une forme différente de celle des jarres à huile, ce qui expliquerait mieux notre ostracon que l'hypothèse d'un transvasement.

[7] Le nom propre Hèlèts nous est connu par la Bible, *Lexicon*, p. 305. Pour Gaddiyô, voir Diringer, *Le iscrizioni*, p. 44, nᵒ 20. L'absence du mot « fils » est un phénomène connu par les sceaux hébraïques.

[8] Géra est un nom d'homme qui nous est connu par la Bible, *Lexicon*, p. 192. Pour le second nom propre, là où Diringer lit Haniab, *Le iscrizioni*, p. 29, nous lisons *ḥn'* +, c'est-à-dire un nom propre Hana suivi d'un point séparatif.

indique par conséquent dans l'ordre : la date du cru, le lieu
de provenance de la jarre, le destinataire de celle-ci, Hèlèts,
très probablement un intendant des domaines royaux ou une
sorte de gouverneur d'un des districts d'Israël, et finalement

Fig. 12.   Ostracon de Samarie nᵒ 12.

l'expéditeur, Géra, peut-être l'exploitant d'un vignoble appartenant à la couronne. En plus des indications que nous venons
de lire dans l'ostracon nᵒ 30, quelques étiquettes mentionnent
la nature de l'envoi. Traduisons les numéros 14, 12 et 16.
Ostracon nᵒ 14 (pl. III, b) : (¹) *En l'an ne[uf] (provenant)*

Hana n'est pas connu par la Bible, mais il contient une racine qui est connue
en hébreu et la désinence « a » ne doit point nous étonner puisqu'elle est celle
de Géra qui est biblique. Hanna, *ḥn'*, se lit sur un ossuaire juif, voir le *Rép.ES*,
III, nᵒ 1496 B, p. 168. Un nom propre orthographié de la même manière, mais
se vocalisant différemment dans chaque langue, existe en punique, en néopunique,
en palmyrénien et peut-être en safaïtique ; voir le *Rép.ES*, I, II et III, *passim*.

de . (²) .pr'n ¹, pour Shemaryô ², (³) une jarre de vin vieux.
Ostracon n° 12 (fig. 12): (¹) *En l'an neuf* ³ (²) *(provenant) de*
Shptn ⁴, *pour Baal* (³) *(fils de) Zèmèr* ⁵, *une jarre de vin* (⁴) *vieux.*

Fig. 13.   Ostracon de Samarie n° 16.

¹ Le nom du village est lu généralement *'tpr'n*. Les deux premières lettres
ne nous semblent pas avoir été correctement déchiffrées. Cependant nous hési-
tons encore entre plusieurs possibilités et nous n'arrivons à aucune certitude.
Sur la figure 15, nous proposons *Gt pr'n*.

² C'est le nom du destinataire de l'envoi, probablement un intendant des
domaines du roi. Le nom est connu par la Bible sous les formes Shemaryahu
et Shemaryah, *Lexicon*, p. 995. Le nom de l'expéditeur n'est pas mentionné.

³ Au-dessus de ce que l'on nomme la première ligne de l'ostracon, il y a des
traces d'encre. Il doit s'agir d'un texte antérieur incomplètement effacé.

⁴ Pour l'identification de ce village, voir DIRINGER, *Le iscrizioni*, p. 56, n° 21.
Non seulement le nom est difficile à vocaliser, mais encore la lecture des deuxième
et troisième lettres n'est pas assurée.

⁵ Nous lisons *lb'l+zmr*, c'est-à-dire deux noms propres, alors que généralement on n'en lit qu'un seul; DIRINGER, *Le iscrizioni*, p. 43, n° 16, lit par exemple

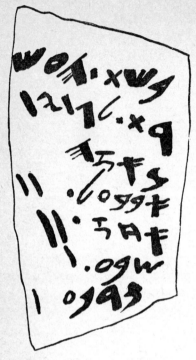

Fig. 14.   Ostracon de Samarie nº 2.

Ostracon nº 16 (fig. 13):
(¹) [*E*]*n l'an dix (provenant) de S* (²) *pr* ¹, *pour Gaddiyô, une jarre* (³) *d'huile raffinée.*

Parfois enfin l'étiquette accompagnait un envoi de plusieurs jarres; ainsi le nº 2 (fig. 14):

(¹) *En l'an di-*
(²) *x, pour Gaddiyô*
(³) *(provenant) de Aza* ² :
(⁴) *Abibaal*   2 ³
(⁵) *Achaz*   2
(⁶) *Shèba*   1
(⁷) *Meribaa*[*l*   1]

Ba'alzimmer. Baal, probablement un nom propre théophore dont seul le nom divin a subsisté, est attesté comme nom d'homme dans la Bible, *Lexicon*, p. 138. Zèmèr n'est pas dans l'Ancien Testament comme nom propre. Dans *Deutéronome*, XIV, 5, le mot zèmèr désigne une espèce d'antilope. Puisque nous savons que certains noms propres étaient des noms d'animaux, pourquoi Zèmèr ne serait-il pas de ceux-là? Toutefois, Zèmèr pourrait être aussi un nom théophore dont la partie divine serait tombée, comme par exemple Zimri pour Zemaryahu; voir *Lexicon*, p. 260. Le nom théophore complet se lit sur un sceau hébraïque, *Zmryhw*; voir DIRINGER, *Le iscrizioni*, pp. 211-212. *Baal (fils de) Zèmèr* est ici encore, probablement, le nom d'un intendant des domaines royaux.

¹ Le nom du village est lu généralement *Saq*. Nous lisons plutôt *Spr*, mais nous restons dans l'incertitude pour la vocalisation et pour l'identification. En manière de comparaison nous pouvons rappeler que Debîr s'appelait autrefois Qiryat-Séphèr, *Josué*, XV, 15. Par ailleurs Sephar est un nom de région en Arabie et Spr semble entrer en composition dans un autre nom de lieu, Sepharwayim, *Lexicon*, pp. 666-667.
² Pour la localisation du village, on consultera DIRINGER, *Le iscrizioni*, pp. 51-52.
³ Les noms propres des lignes 4 à 7 sont ceux des expéditeurs; en face de chaque nom, le chiffre indique le nombre de jarres que chacun a envoyé.

Malgré la variété des formules que nous venons de constater, les ostraca de 1910 forment un groupe homogène de documents puisqu'ils sont des étiquettes ayant accompagné au palais royal de Samarie des envois de vin vieux et d'huile raffinée. D'où provenaient ces envois? Très probablement des domaines royaux qui se trouvaient répartis à travers le royaume d'Israël, mais surtout de ceux qui étaient le plus proches de Samarie [1]. Il semble que le royaume d'Israël, comme celui de Juda, était divisé en douze districts pour permettre des levées rationnelles en hommes et en impôts [2]. Les intendants, collecteurs des envois de vin ou d'huile, dont nous avons rencontré les noms dans les ostraca, étaient, ou bien les intendants d'un groupe de domaines royaux, ou bien des sortes de gouverneurs des districts administratifs d'Israël. Lorsque le nom de l'expéditeur est mentionné, il doit s'agir du chef du domaine royal qui a fourni l'huile ou le vin.

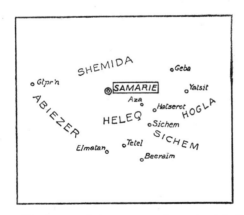

Fig. 15.   Districts et principaux centres des environs de Samarie.

[1] De Vaux, *Institutions*, p. 193.
[2] De Vaux, *Institutions*, pour Juda, pp. 208-210, pour Israël, pp. 210-211. Pour la répartition des noms de lieux des ostraca en districts et en villages, on verra Moscati, *L'epigrafia*, pp. 28-29. Voir aussi la figure 15 où nous n'avons indiqué que quelques noms dont la localisation est souvent discutée.

Ainsi, les ostraca de Samarie nous permettent d'abord d'avoir quelques précisions sur la répartition de certains domaines royaux (fig. 15) et sur le fonctionnement de l'administration de ceux-ci en Israël; à ce titre les ostraca de 1910 sont très précieux, bien que tous les exégètes ne soient pas encore d'accord avec l'interprétation d'ensemble que nous avons acceptée [1].

Nous savons, par la Bible, que le vin agrémentait les plantureux repas du roi et de ses grands et que l'huile parfumée leur servait aux onctions du corps. Vin vieux et huile d'onction étaient devenus alors les symboles d'une richesse exagérée qui insultait aux misères d'un petit peuple besogeux mais pressuré d'impôts. La voix du prophète Amos se fit l'écho du mécontentement général : « *Malheur aux sans-souci de Sion, à ceux qui vivent en sûreté sur la montagne de Samarie..., qui boivent le vin dans les cratères et qui s'oignent (le corps) des prémices de l'huile* » (*Amos*, VI, 1a et 6a) [2]. Le second intérêt de nos ostraca est par conséquent de nous montrer que les oracles d'un Amos contre les grands de Samarie se justifiaient par le raffinement auquel le roi et sa cour se livraient dans les repas et la toilette, raffinement dont les étiquettes sur argile sont les irrécusables témoins.

Un troisième enseignement des ostraca de 1910 est relatif à la religion du royaume du Nord [3]. En effet, parmi les nombreux noms propres d'hommes que contiennent nos textes, quelques-uns sont composés avec le nom du dieu Baal, d'une manière certaine au moins quatre différents. Il ne faudrait pas conclure de là qu'il y avait une recrudescence de l'influence religieuse cananéenne à l'époque des ostraca, puisque ces noms peuvent avoir été maintenus traditionnellement. A en juger par les noms composés avec Yahvé, d'une manière certaine au moins

---

[1] Voir A. Parrot, *Samarie, capitale du royaume d'Israël*, p. 56, note 1.
[2] Le rapprochement avait déjà été fait; voir en dernier lieu *ibidem*, p. 56.
[3] *Ibidem*, p. 56.

huit différents, la religion yahviste conservait en Israël de solides positions [1].

En lisant les étiquettes que nous avons traduites, le lecteur a remarqué qu'est mentionnée une année de règne, l'an 17, l'an 15, l'an 10, l'an 9, mais jamais le nom du souverain. Il serait donc instructif de savoir au règne de quel roi se rapportait cette computation. Pour ne pas entrer dans des discussions qui finiraient par devenir ennuyeuses, nous résumerons les principales hypothèses destinées à élucider le problème chronologique des ostraca découverts en 1910 [2]. Au début de la recherche, l'unanimité se fit pour le règne d'Achab (869-850). Mais, par la suite, lorsqu'on s'aperçut, d'une part que l'écriture des ostraca ne pouvait être plus ancienne que celle de la stèle de Mésha, d'autre part que la datation des niveaux archéologiques proposée par les premiers fouilleurs était un peu trop haute, quelques savants admirent le règne de Jéroboam II (786-746) [3]. Depuis 1948, à la suite d'une étude de Maisler [4], une solution moyenne semble prévaloir. Elle est adoptée par Moscati [5] et elle nous tente assez nous-même. Elle consiste à rapporter au règne de Joahaz, successeur de Jéhu vers 815-814, les références chronologiques des ostraca. Nous savons par II *Rois*, XIII, 1, que Joahaz a régné 17 ans, ce qui expliquerait pourquoi nos ostraca n'ont pas de mention de date postérieure à l'an 17 [6]. Si cette dernière solution doit

---

[1] Si nous tenions compte des noms théophores, même répétés, nous arriverions à la comparaison suivante : noms avec Baal, 5, noms avec Yahvé, 28.

[2] Voir MOSCATI, *L'epigrafia*, pp. 31-37.

[3] Par exemple, ALBRIGHT, en dernier lieu dans *L'archéologie*, p. 141. A. PARROT semble se rallier à cette solution, *Samarie capitale du royaume d'Israël*, p. 58.

[4] *JPOS*, 22 (1948), pp. 117-133.

[5] *L'epigrafia*, pp. 34-37.

[6] Il faut remarquer ici l'accord entre les données de l'épigraphie et celles de l'Ancien Testament. L'accord n'existerait pas pour les rois qui ont régné plus de 17 ans. Toutefois, avant de nous décider, il faut encore attendre la publication, annoncée pour 1958, du tome III des résultats des dernières fouilles entreprises à Samarie. Ce tome III vient de paraître, mais nous n'avons pas pu le consulter encore.

être retenue, c'est donc au règne de Joahaz qu'il faut rapporter tous les enseignements que nous avons tirés précédemment de l'étude des ostraca de 1910.

L'OSTRACON C 1101

C'est ainsi qu'on désigne le principal des ostraca découverts en 1932 [1]. Il est d'interprétation difficile. L'ostracon nous semble contenir une inscription qui est complète; toutefois la première ligne n'est peut-être pas de la même main que les deux lignes suivantes (pl. IV, b). Voici comment nous lisons ce texte, aidé par les travaux de nos prédécesseurs:

(1) *Baruk, salut!* [2]
(2) *Ta graine* [3] *2 (mesures)! Fais leur savoir* [4] *: Faites attention!* [5]

---

[1] Pour la bibliographie relative à cet ostracon, voir DIRINGER, *Le iscrizioni*, pp. 71-72 et MOSCATI, *L'epigrafia*, pp. 37-39.

[2] L'interprétation de cette ligne est difficile. L'écriture ne semblant pas être de la même main que celle des lignes 2 et 3, cette constatation peut nous porter à admettre que la ligne 1 a un sens indépendant du contenu des lignes qui suivent. *Brk shlm* peut se traduire: *Baruk, salut!* C'est la traduction d'ALBRIGHT en 1936, voir MOSCATI, *L'epigrafia*, p. 38 et note 1. Pourtant l'ordre: nom propre, salut, ne laisse pas que d'être difficile; par exemple, dans les ostraca araméens d'Eléphantine, c'est l'ordre inverse qui prévaut: salut, nom propre. En 1950, dans *ANET*, p. 321, ALBRIGHT croit la ligne incomplète et traduit: *Baruk (fils de) Shallum* [...]. Mais, tout en considérant la ligne comme complète, on peut aussi traduire: *Baruk a payé! (Baruk shillém)*; il s'agirait alors d'un ostracon sans adresse, commençant immédiatement par un message. On pourrait lire enfin: *C'est ta graine qu'il a payée! (Bârekâ shillém)*. On pourrait aussi obtenir d'autres combinaisons.

[3] Ici, ALBRIGHT, en 1936 comme en 1950, lit un nom propre, Baruk. Avec YEIVIN, voir MOSCATI, *L'epigrafia*, p. 38[2], nous lisons *bârekâ*; *bâr* c'est au sens propre les céréales battues et nettoyées, les graines, c'est-à-dire « la graine » comme on le dit encore dans certaines de nos campagnes françaises.

[4] Nous lisons ici *hd'm* et nous vocalisons *hodi'ém*, un impératif tout à fait à sa place dans un ostracon. ALBRIGHT, après avoir lu *hp'm* en 1936, voir MOSCATI, *L'epigrafia*, p. 38, en 1950, *ANET*, p. 321, remplace le mot par trois points.

[5] Notre lecture n'est qu'une transformation de la lecture due à ALBRIGHT, en 1936 et en 1950: *fais attention et* [*donne à X fils de*] [3] *Yimnah*... Mais alors qu'Albright croit la ligne à compléter, nous la croyons complète et nous vocalisons en conséquence: *haqeshibu (hqshbw)!*

(³) *Qu'on compte* ¹ *13 (mesures) d'orge!* ²

La traduction que nous proposons n'est qu'une tentative pour résoudre les nombreuses difficultés que présentent la lecture et l'interprétation de notre ostracon, et les notes qui accompagnent la traduction sont un reflet de ces difficultés. Nous pensons que l'ostracon C 1101 est un court billet, avec ou sans adresse, selon la manière dont on interprète la première ligne. Les messages qui suivent sont brefs et formés de petites phrases nerveuses, dont le sens profond nous échappe étant donné que nous ne savons plus rien des circonstances qui ont motivé l'envoi du billet. Nous pouvons penser qu'il s'agissait d'une affaire de mesurage de céréales après la moisson. L'expéditeur atteste au destinataire que les céréales de celui-ci comptaient bien deux mesures : « *Ta graine 2 (mesures)* ». Peut-être le destinataire avait-il été mal mesuré?

Ou bien le volume d'une livraison qu'il avait faite avait-il été contesté par d'autres? Toujours est-il que l'expéditeur du billet invite son destinataire à rendre d'autres personnes attentives, pour le mesurage du grain, probablement : « *Fais-leur savoir: Faites attention!* ». Le billet se termine par un ordre, peut-être à l'avantage du destinataire : « *Qu'on compte 13 (mesures) d'orge!* » On voit, en comparant la tablette de Gézer à l'ostracon C 1101, vraisemblablement du viiiᵉ siècle avant notre ère ³, que la vie agricole n'avait pas perdu ses droits et que le mesurage des céréales constituait une des occupations importantes des habitants du royaume d'Israël.

---

¹ Nous adoptons une des lectures proposées par DIRINGER, *Le iscrizioni*, p. 72 et celle qu'avait préférée déjà la *RB* en 1934, p. 159, avec une délicieuse coquille *on contera* au lieu de *on comptera*. Nous vocalisons *yemannéh* et nous y voyons un inaccompli à valeur de jussif.

² C'est l'interprétation d'ALBRIGHT en 1936 et de YEIVIN ; voir MOSCATI, *L'epigrafia*, p. 38².

³ Voir MOSCATI, *L'epigrafia*, pp. 38-39.

CHAPITRE VII

Les inscriptions du règne d'Ezéchias

Avec les inscriptions du règne d'Ezéchias, nous quittons le royaume d'Israël et nous nous tournons vers le royaume de Juda. Nous suivons ainsi l'évolution historique. Après que le royaume du Nord eut cessé d'exister politiquement en 722 avant notre ère lorsque Samarie fut prise par les Assyriens, le royaume du Sud, échappant au désastre, continua de vivre. Comment il vécut et jusqu'à quand, c'est ce que vont nous apprendre les inscriptions que nous présentons dans la dernière partie de ce cahier.

L'INSCRIPTION DE L'AQUEDUC SOUTERRAIN D'EZÉCHIAS

La Bible a conservé le souvenir des travaux hydrauliques réalisés par le roi Ezéchias à la fin du VIIIe siècle avant notre ère pour mettre Jérusalem à l'abri de la soif en cas de siège. Le rédacteur du livre des Rois, II *Rois*, xx, 20, pour conclure le récit qu'il fait du règne d'Ezéchias, renvoie, selon son habitude, au livre aujourd'hui perdu des chroniques des rois de Juda pour tout ce qu'il n'a pas mentionné dans son propre récit : « *Et le reste des actions d'Ezéchias, et toute sa puissance, et comment il fit le réservoir et le canal, et comment il conduisit les eaux à la Ville, n'est-ce pas écrit dans le livre des chroniques des rois de Juda ?* » Nous apprenons par ce passage que dans les chroniques royales judéennes, hélas perdues, on attribuait au roi Ezéchias la construction d'un canal pour conduire des

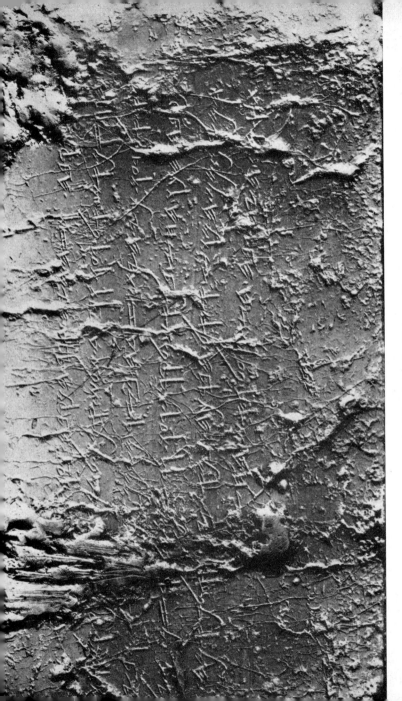

PL. V. L'inscription de Siloé. *p. 68*

D'après Birnbaum, *The Hebrew Scripts*. (Avec l'aimable autorisation de l'auteur)

Recto

IV 4025

eaux à Jérusalem et d'un réservoir pour les collecter. L'auteur des chroniques bibliques, II *Chroniques*, XXXII, 30, nous apporte quelques précisions sur les travaux d'Ezéchias : « *Et c'est lui, Ezéchias, qui boucha l'issue supérieure des eaux de Guihon et les envoya plus bas, à l'ouest de la ville de David. Ezéchias réussit dans toute son entreprise.* » Dans ce passage sont précisés le point de départ du canal, sa direction générale et son point d'arrivée.

Mais toutes ces précisions ne suffiraient point à satisfaire notre curiosité si nous n'avions aujourd'hui à notre disposition, l'inscription commémorant la fin du forage de l'aqueduc et les données de prospections archéologiques souterraines.

Pour mesurer les bouleversements apportés à notre connaissance de la topographie par l'inscription et les données archéologiques, nous allons citer un auteur qui écrivait avant ces précieuses découvertes, c'est-à-dire un auteur qui ne disposait pour se faire une opinion que des données scripturaires. Il s'agit du Dr Ermete Pierotti qui publia vers 1869 une *Topographie ancienne et moderne de Jérusalem*. Voici ce qu'il écrivait aux pages 124-125 : « *Ceux qui s'occupent de la topographie ancienne de Jérusalem ne sont pas d'accord pour déterminer la position de Guihon; mais je crois que ce sont les hauteurs du nord-ouest et de l'ouest de la ville qui sont précisément l'endroit appelé Guihon, car la Bible me dit : Ezéchias boucha aussi le haut canal des eaux de Guihon, et les conduisit droit en bas, vers l'occident de la cité de David. Autre part : Manassé bâtit la muraille en dehors de la cité de David, à l'ouest vers Guihon, dans la vallée, et jusqu'à l'entrée de la porte des Poissons. Il est positif que si Guihon n'était pas le nom des collines occidentales à l'extérieur de la ville, je ne comprendrais pas quelle autre interprétation il se pourrait donner aux deux versets cités plus haut, attendu que de toute autre direction il aurait été impossible au roi Ezéchias de faire courir les eaux dans la ville, à moins d'exécuter de longs et pénibles travaux pour creuser des conduits dans l'inté-*

rieur de la montagne,... » La fin de la citation « *à moins d'exécuter de longs et pénibles travaux pour creuser des conduits dans l'intérieur de la montagne* » est une réserve remarquable, car c'est précisément la possibilité exclue par Pierotti qui se trouve être reconnue la seule valable par l'épigraphie et par l'archéologie.

Ces dernières en effet, s'accordent à nous faire connaître Ezéchias comme un audacieux réalisateur qui n'hésita pas à percer la colline d'Ophel de part en part pour conduire l'eau du Guihon dans un réservoir creusé à l'intérieur des anciens murs de Jérusalem. Du même coup, la source Guihon n'est pas à chercher à l'ouest de Jérusalem avec Pierotti, mais à l'est, là où sourd encore aujourd'hui l'eau de Ayn Oumm ed-Daradj ou fontaine de la Vierge [1]. Voilà pour le point de départ de l'aqueduc souterrain d'Ezéchias, les eaux de Guihon (fig. 17). Le point d'arrivée de l'aqueduc allait être identifié en 1880 avec la piscine de Siloé (fig. 17) grâce à la découverte dont il nous faut parler maintenant.

En 1880, des jeunes gens se baignaient à l'entrée d'un canal souterrain exploré en partie depuis 1838, à côté d'un réservoir d'eau appelé piscine de Siloé, lorsque l'un d'eux qui s'était risqué dans le canal plus loin que de coutume, éclaira tout à fait par hasard avec la bougie qu'il tenait à la main, la paroi rocheuse où il crut deviner des lettres gravées. Il venait de découvrir l'inscription qui permet d'identifier le canal sur les parois duquel elle se trouvait, avec l'aqueduc d'Ezéchias. Après avoir débarrassé l'inscription des concrétions calcaires et des dépôts qui la recouvraient, des moulages furent pris dont un peut être vu aujourd'hui encore au musée du Louvre, crypte Sully. En 1890, l'inscription fut excisée par un particulier, un Grec qui espérait la vendre à un musée d'Europe.

---

[1] Pour l'identification de Guihon avec Ayn Oumm ed-Daradj, voir du R.P. H. VINCENT, *Jérusalem antique*, Paris, 1912, tome I, fascicule 1 de *Jérusalem, recherches de topographie, d'archéologie et d'histoire*, pp. 136-141 ; *Jérusalem de l'Ancien Testament*, I, p. 280.

L'opération d'excision se solda par une rupture de l'inscription en plusieurs morceaux. Heureusement, les moulages pris avant l'excision conservent la figure du texte original et c'est ce qui fait leur prix. Le gouvernement turc ayant eu vent de l'excision, mit la main sur l'inscription qui est aujourd'hui reconstituée au musée des antiquités d'Istambul [1].

Le rocher sur lequel l'inscription était gravée, à six mètres de l'entrée du canal, était aplani pour recevoir quelque chose de plus grand que l'inscription connue (pl. V et fig. 16). Celle-ci

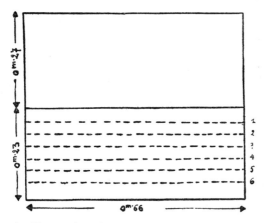

Fig. 16.   Mesures du rocher où était gravée l'inscription de Siloé.

occupait la partie inférieure du rocher préparé; la partie supérieure ne portait rien. On s'est perdu en conjectures pour savoir à quoi était destiné le rocher régularisé au-dessus de l'inscription : titulature royale et date de l'événement ou bien représentation sculptée? On s'est aussi demandé pour quelle raison le projet n'avait pas été mis à exécution, mais on n'a pas réussi à répondre de façon satisfaisante.

[1] Sur tous ces événements, on lira DIRINGER, *Le iscrizioni*, pp. 81-84. On trouvera la bibliographie du sujet *ibidem*, pp. 95-102 et sous la plume d'ALBRIGHT dans *ANET*, p. 321.

Voici ce qu'on peut lire encore des six lignes de l'inscription : [1]

1 [*Terminé est*] *le forage. Et voici comment se passa le forage
lorsqu'il ne resta que* [*trois coudées (à abattre), le pic contre*]

2 *le pic, l'un vers l'autre. Et lorsqu'il ne resta que trois coudées
à abatt*[*re, on enten*]*dit la voix de chacun ap-*

3 *pelant l'autre, car il y avait de l'ardeur (au travail) à l'intérieur du rocher, à droite* [*et à gauche*]. *Et au jour du*

4 *forage les mineurs frappèrent l'un à la rencontre de l'autre,
pic contre pic. Et allèrent*

5 *les eaux depuis l'issue jusqu'au réservoir sur mille deux cents
coudées et de cent*

6 *coudées était la hauteur du rocher au-dessus de la tête des
mineurs.*

L'inscription commémore la rencontre des deux équipes de
mineurs qui forèrent l'aqueduc. L'une des équipes était partie
du Guihon, progressant vers le réservoir ; l'autre, partie du
réservoir, progressait vers la source. Le tracé de l'aqueduc
nous est maintenant connu [2] (fig. 17). Ses dimensions correspondent à celles que donne l'inscription [3]. La science des
ingénieurs d'Ezéchias était remarquable, puisque, malgré des
détours pour rechercher la roche la plus tendre au nord et
peut-être pour éviter des tombes royales au sud, les deux

---

[1] Pour les restitutions que nous adoptons et pour la signification du mot *zdh*
à la ligne 3, nous renvoyons le lecteur à notre étude dans *VT*, 1958, pp. 297-302.

[2] On trouvera dans la *Revue biblique* des détails sur les explorations qui ont
permis de déterminer le tracé précis de l'aqueduc : *RB*, 1912, pp. 105-111 ; 424-
450, et planches X-XII, p. 452. C'est le canal VIII du plan qui représente l'aqueduc souterrain d'Ezéchias. Pour des détails archéologiques, A. PARROT, *Le musée
du Louvre et la Bible*, pp. 94-98.

[3] La longueur vérifiée à la suite de plusieurs explorations, voir *RB*, 1912,
p. 426, s'établit entre 533 et 534 mètres ; cette longueur correspond approxima-
tivement aux 1200 coudées dont parle l'inscription. Pour la hauteur du rocher
au-dessus de l'aqueduc, l'inscription donne 100 coudées soit environ 50 mètres,
ce qui correspond bien à la plus forte hauteur du rocher au-dessus du canal
exploré ; on verra H. VINCENT, *Jérusalem de l'Ancien Testament*, I, p. 278 et
J. SIMONS, *Jerusalem in the Old Testament*, Leiden, 1952, p. 185.

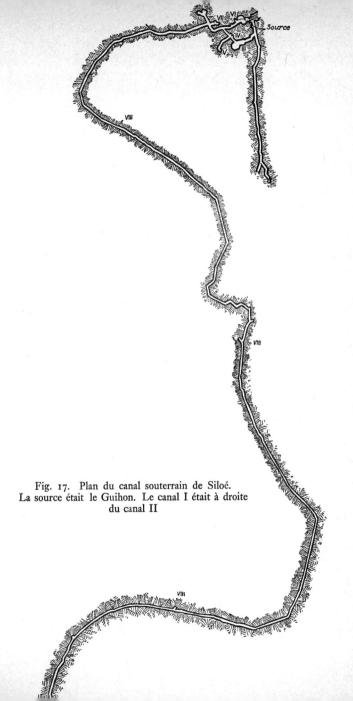

Fig. 17. Plan du canal souterrain de Siloé.
La source était le Guihon. Le canal I était à droite
du canal II

équipes ne se manquèrent point, mais se rejoignirent exacte-
ment [1]. La petite différence de niveau qui existait entre la
galerie venant du nord et celle du sud fut vite égalisée. Notre
inscription ne s'intéresse nullement au travail des équipes à
leur point de départ, mais uniquement à la rencontre des
mineurs à partir du moment où ne restait qu'environ un mètre
cinquante de rocher à abattre, trois coudées dit le texte. Les
premières lignes sont une sorte de titre qui annonce le contenu
de l'inscription : [*Terminé est*] *le forage. Et voici comment se
passa le forage lorsqu'il ne resta que* [*trois coudées (à abattre), le
pic contre*] *le pic, l'un vers l'autre.* On précise ensuite qu'en
raison de cette faible épaisseur du rocher et de l'ardeur au
travail que donne à chacune des équipes la certitude de toucher
au but, on entend les voix des mineurs et le bruit de leur
travail à travers le rocher. Alors le mouvement des équipes
à la rencontre l'une de l'autre est décrit en terme précis : *pic
contre pic.* La fin de l'inscription, négligeant de nous dire la
joie de la rencontre, et les ultimes travaux de finissage, expose
le succès de l'entreprise, l'eau s'écoule depuis l'issue (*môtsâ'*),
c'est-à-dire depuis le Guihon jusqu'au réservoir (*berékhâh*),
l'actuelle piscine de Siloé. L'accord entre les données de notre
inscription et celles de l'Ancien Testament est parfait [2]. Il
va même jusqu'aux mots employés de part et d'autre : en
II *Rois*, II, 20, le réservoir est appelé *berékhâh*, comme dans
l'inscription, ligne 5 ; en II *Chroniques*, XXXII, 30, la source
Guihon est qualifiée de *môtsâ'*, issue ; c'est le même mot qui
est utilisé à la ligne 5 de notre inscription. Le canal qui débouche
à la piscine de Siloé est bien l'aqueduc souterrain foré sur
ordre d'Ezéchias.

---

[1] A. Lods, dans *L'« étang supérieur » et l'approvisionnement en eau de la
Jérusalem antique*, Alger, 1933, signale, p. 7, note 1, une inscription latine, *CIL*,
VIII, 2728, qui montre que les Romains lorsqu'ils entreprenaient un forage au
moyen de deux équipes destinées à se rencontrer, n'étaient pas toujours assurés
du succès ; et pourtant c'était au milieu du IIe siècle.

[2] On lira une étude détaillée de cet accord dans l'ouvrage du R.P. H. Vincent, *Jérusalem de l'Ancien Testament*, I, pp. 291-295.

Le point de départ de l'aqueduc d'Ezéchias, nous voulons dire le Guihon, mérite de retenir un instant encore notre attention. La fontaine que l'Ancien Testament appelle Guihon, s'écoule d'une manière intermittente à un rythme à peu près régulier en un jaillissement bouillonnant qui lui a valu son nom. Des explorations et des fouilles pratiquées en ces lieux [1] ont permis de retrouver trace des tentatives faites au cours des siècles pour parvenir sous terre, depuis la ville, jusqu'aux eaux de la fontaine ou pour les capter, soit à ciel ouvert, soit finalement par l'aqueduc souterrain d'Ezéchias. Notre figure 17 reproduit les principaux canaux qui partaient de la fontaine. Lorsque Ezéchias voulut conduire l'eau jusqu'au réservoir de Siloé, il fut obligé de *boucher* (II *Chroniques*, XXXII, 30) les points de départ des canaux devenus inutiles: I, II, IV, VII, ainsi que le prolongement du canal VI. Les traces de certaines de ces obturations ont été observées sous terre. La fontaine dont le trop-plein s'écoulait vers les canaux I et II, s'écoula dorénavant vers le canal VIII, l'aqueduc d'Ezéchias, par l'intermédiaire du canal VI. On comprend alors très bien le livre des Chroniques, II *Chroniques*, XXXII, 30, lorsqu'il nous dit qu'Ezéchias boucha l'issue *supérieure* des eaux de Guihon. C'est une allusion aux obturations souterraines dont nous venons de parler. Une fois encore les textes s'accordent avec les faits archéologiques.

Pour terminer, nous devons nous demander en quelles circonstances le roi Ezéchias fut amené à forer l'aqueduc dont l'inscription commémore la réussite. Nous sommes au temps du prophète Esaïe, ce prophète qui ne craignait pas d'intervenir auprès du roi pour lui annoncer les décisions de Yahvé (*Esaïe*, VII, 3-6), ce prophète qui donna à ses enfants des noms symboliques dont certains furent écrits sur l'ordre de Dieu (*Esaïe*, VIII, 1), assurément au moyen de l'écriture

[1] On verra sur ces fouilles: *RB*, 1911, pp. 566-591; 1912, pp. 86-111 et 424-450.

qui nous est connue par l'inscription de l'aqueduc d'Ezéchias
(pl. V). Depuis l'époque d'Ahaz, le royaume de Juda reconnais-
sait, au moins officiellement, la suzeraineté de la toute-puis-
sante Assyrie. Ezéchias trouva embarrassant le joug qu'il
tenta de secouer. Esaïe eut beau mettre en lumière la vanité
de certaines tentatives de rébellion [1], Ezéchias finit par devenir
la tête de l'opposition à Assur [2]. C'est probablement à ce
moment-là, un peu avant l'arrivée de Sennachérib en Palestine
en 701 avant notre ère, qu'après avoir obtenu l'assurance de
l'alliance égyptienne, Ezéchias fit renforcer les murs de Jérusalem et mettre à l'abri des ennemis assyriens les eaux de
Guihon en construisant l'aqueduc souterrain qui conduisait
l'eau de la fontaine rendue inaccessible par l'extérieur jusqu'au
réservoir construit à l'intérieur de la cité.

Le Siracide, XLVIII, 17 [3], a conservé le souvenir vivant
de la grande entreprise d'Ezéchias :

« *Ezéchias fortifia sa ville*
en détournant des eaux au milieu d'elle.
Il tailla des rochers au moyen de l'airain,
et il transforma [4] *des montagnes en collecteur (des eaux).* »

Inscriptions sépulcrales antérieures a l'exil

Un petit oracle du livre d'Esaïe nous a conservé d'intéressants détails sur la manière dont les riches, au temps d'Ezéchias, préparaient leur sépulture de leur vivant. Shèbna était
une sorte de premier ministre d'Ezéchias, fier de son luxe et
du sépulcre qu'il était en train de se faire creuser aux environs
de Jérusalem. Esaïe, de la part de Dieu, lui reproche son

---

[1] Voir, par exemple, *Esaïe*, xx.
[2] Sur ces événements, on consultera A. Lods, *Les prophètes d'Israël*, Paris,
1935, pp. 29-39.
[3] D'après le texte hébreu.
[4] Mot à mot : *il ferma*.

orgueil et lui montre la vanité de son entreprise (*Esaïe*, XXII, 15-18) [1]:

15c « *Contre Shèbna, majordome!*

15a et b *Ainsi parle le Seigneur Yahvé des armées :*
     Va, entre chez ce ministre

16b *Qui taille son sépulcre sur la hauteur,*
     Qui creuse pour lui une demeure dans le rocher!

16a *Que possèdes-tu ici et quelle parenté y as-tu,*
     Que tu tailles à ton intention un sépulcre?

17   *Voici que Yahvé va te reléguer en relégation, homme,*
     Et t'effacer entièrement!

18   *Il va t'empelotonner en pelote, balle (lancée) vers un pays*
     large de deux mains.
     Là-bas tu mourras et là-bas (seront) les chars qui
     faisaient ta gloire, toi l'ignominie de la maison de ton
     seigneur! »

Où pouvait être, à proximité de Jérusalem, le sépulcre que Shèbna fit creuser dans le rocher sur la hauteur? Nous ne le savons plus d'une manière précise, mais nous sommes en droit de penser qu'il se trouvait sur la colline où est aujourd'hui construit le village de Siloé, au sud-est de l'actuelle Jérusalem. En effet, à l'entrée du village de Siloé, on a relevé des inscriptions funéraires en caractères hébreux anciens, extrêmement mutilées, en liaison avec des chambres creusées dans le roc [2]. L'une de ces inscriptions a pu être lue en grande partie par N. Avigad [3]. Nous reproduisons son interprétation:

---

[1] Pour l'ordre des versets, nous suivons la *Bible du Centenaire*, II, pp. 343-344. Nous nous inspirons de sa traduction.

[2] Trois d'entre elles ont été relevées par Clermont-Ganneau, voir DIRINGER, *Le iscrizioni*, pp. 102-110. Une quatrième l'a été par A. Reifenberg, voir MOSCATI, *L'epigrafia*, p. 115.

[3] N. AVIGAD, *The Epitaph of a Royal Steward from Siloam Village, IEJ*, 1953, pp. 137-152.
    G. E. WRIGHT, *Epitaph of a Judean Official, BA*, 17 (1954), pp. 22-23.

1 *Ceci est le sé[pulcre de .....]yahu, majordome. Il n'y a ici ni argent ni or,*

2 *mais [ses ossements] et les ossements de sa concubine avec lui. Maudit soit l'homme*

3 *qui ouvrira ceci!*

Quoique la lecture de cette épitaphe ne soit pas partout aussi solidement assise, il semble bien que nous avons affaire au premier texte funéraire hébreu antérieur à l'exil qui contient une malédiction à l'adresse du violateur [1]. De toute manière, le personnage au nom yahviste qui reposait dans la chambre rocheuse, était, comme Shèbna, majordome [2]; il était par conséquent un grand personnage de la cour d'un des rois de Juda. La forme de l'écriture indique pour l'inscription le VIIe siècle avant notre ère. Selon certains savants, cette tombe de Siloé était peut-être celle de Shèbna, mentionné sous son nom de [Sheban]yahu [3]. Nous restons dans l'incertitude sur ce point [4].

Les autres inscriptions, dont quelques lettres seulement sont lisibles, étaient probablement aussi des épitaphes [5]. La colline de Siloé au temps des rois de Juda était le lieu où les hauts personnages de la cour, tel Shèbna, faisaient creuser leur sépulture. Leur servait-elle toujours? S'il faut en croire les menaces prophétiques, il y eut de cruels destins.

---

[1] Sur la question des violations de sépultures, on consultera: A. PARROT, *Malédictions et violations de tombes*, Paris, 1939, pp. 51-76.

[2] La lecture de l'expression *'shr 'l hbyt*, majordome, était déjà donnée par DIRINGER, *Le iscrizioni*, p. 108.

[3] Voir *BA*, 17 (1954), p. 23.

[4] A droite de l'épitaphe que nous venons de traduire, se trouvait une inscription d'une seule ligne qui a été étudiée à nouveau par N. AVIGAD, *The Second Tomb-Inscription of the Royal Steward*, IEJ, 1955, pp. 163-166. Il y voit, non pas une autre épitaphe, mais une sorte de réservation pour celui qui l'a fait exécuter, de la chambre sépulcrale taillée dans le roc. Est-il utile d'ajouter que si cette interprétation est fondée, elle est un argument supplémentaire pour identifier la chambre sépulcrale de Siloé avec la tombe de Shèbna?

[5] Nous n'avons pas traité de l'inscription d'Ozias parce qu'elle est postérieure à l'exil et écrite en araméen. Voir W. F. ALBRIGHT, *L'archéologie*, p. 174 et pl. 26.

Chapitre VIII

Les ostraca de Lakish
et l'époque du prophète Jérémie

La période que nous envisageons maintenant est celle qui s'étend de 626 à 587 avant notre ère. Elle est marquée par l'effondrement de la puissance assyrienne et par l'étonnant accroissement de la puissance babylonienne. Babylone relaie Assur dans ses prétentions à l'hégémonie du monde civilisé d'alors. L'histoire victorieuse de la dynastie néobabylonienne, nous est maintenant mieux connue que par le passé, depuis la publication des tablettes qui contenaient « les chroniques des rois chaldéens »[1]. 614 : Assur tombe au pouvoir des Mèdes. 612 : Aidés par les Mèdes, les Babyloniens prennent et détruisent Ninive après un siège de trois mois. Les Assyriens se réfugient dans la région de Harran où ils se retranchent en attendant les secours égyptiens. 605 : victoire à Karkémish, près de l'Euphrate, des troupes alliées babyloniennes sur les restes de l'armée assyrienne et les renforts égyptiens. 601-600 : Nabuchodonosor, roi de Babylone s'attaque en vain à l'Egypte. Désormais, deux « grands », Babylone et l'Egypte, se partagent le monde et attirent dans leur sphère d'influence les petits Etats ; deux champs de forces se constituent. L'histoire n'est-elle pas un éternel recommencement ? Le royaume judéen, placé à la limite des zones d'attraction, se tournera tantôt vers l'Egypte, tantôt vers Babylone. C'est l'époque à laquelle

---

[1] D. J. Wiseman, *Chronicles of Chaldean Kings (626-566 B.C.) in the British Museum*, Londres, 1956. Pour tous les événements que nous mentionnons, on consultera A. Parrot, *Babylone et l'Ancien Testament*, pp. 60-83.

prophétise Jérémie, partisan décidé d'une politique de soumission à Babylone. Les opinions politiques du prophète sont
celles d'un homme de Dieu : il considère la puissance babylonienne comme l'instrument que le Dieu des pères utilise
pour châtier son peuple idolâtre et infidèle. Jérémie se heurte
donc au désir d'indépendance nationale qui pousse la plupart
de ses compatriotes, avec leur roi, à faire confiance à la diplo-
matie et aux éventuels secours égyptiens. Au risque de passer
pour un « collaborateur », Jérémie se soumet aux ordres de
son Dieu et son message ne variera jamais jusqu'à la ruine de
Jérusalem. L'attachement impie des rois judéens à l'Egypte
aura pour conséquence des interventions en force de Babylone.
Le 15-16 mars 597, Jérusalem est assiégée et prise par les
Babyloniens. Sous le règne de Sédécias, la capitale de Juda
connaît une accalmie de dix années. Mais le faible Sédécias,
bien qu'installé sur le trône par les vainqueurs, ne sait pas se
décider pour la politique franchement probabylonienne que
lui conseille Jérémie. Les Babyloniens reviennent en Judée
et détruisent Jérusalem en juillet 587. C'est la fin du petit
Etat judéen et le commencement pour beaucoup d'habitants
d'un nouvel exil.

* *
*

Les *ostraca de Lakish* sont de cette période du déclin de
Juda, qui va de 597 à 587, et par conséquent l'éclairent de tous
les enseignements qu'ils contiennent. Toutefois, les enseignements des ostraca ne valent pas seulement pour ces dix années,
ils valent aussi pour toute la période d'activité de Jérémie,
depuis son appel par Dieu (*Jérémie*, I), jusqu'au jour où il fut
entraîné de force en Egypte (*Jérémie*, XLIII). Passa-t-il alors
par Lakish détruite ou tout près de Lakish? Nous ne le savons
pas ! C'est en tout cas dans cette ville ancienne, située sur l'une
des routes qui conduit de Jérusalem vers l'Egypte, à 45 kilomètres au sud-ouest de Jérusalem, que furent mis au jour en

deux fois, 18 en 1935 et 3 en 1938, les 21 ostraca qui sont actuellement les plus longs et parmi les mieux conservés des ostraca palestiniens. Ils consistent en listes de noms et en lettres qui sont parfois de simples billets, restes d'une correspondance échangée entre le commandant de la place forte de Lakish et un de ses subalternes qui était à la tête d'une forteresse des environs. C'est au travail de la mission archéologique anglaise dirigée par J. L. Starkey sur le site de Lakish, actuelle-

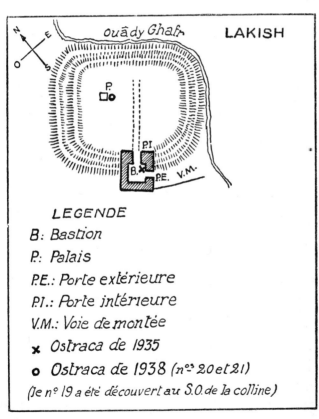

Fig. 18. Plan de Lakish.

ment Tell ed-Duweir, que nous devons cette découverte [1]. Les tessons de 1935 ont été trouvés à l'intérieur de la porte monumentale de la ville, là où arrivaient les courriers et où se traitaient les affaires; les tessons de 1938 l'ont été aux abords du palais qui couronnait la ville (fig. 18). La position des premiers entre deux couches archéologiques qui contenaient des traces d'incendie et le réemploi de quelques-uns d'entre eux dans le ciment d'un mur d'époque perse, permettent de les dater durant les dernières années de la dynastie judéenne. Les seconds se laissent dater de la même période par la comparaison des écritures.

* * *

Lakish fut dès les plus anciens temps une place forte défendant les voies d'accès vers Jérusalem par le sud-ouest. Déjà Josué rencontra le roi de Lakish parmi les rois amorrhéens ligués contre lui (*Josué*, x, 3, 5, 23; xii, 11); il s'empara même de la ville (*Josué*, x, 31-35). A l'époque d'Ezéchias, Lakish semble être le quartier général des troupes assyriennes qui opèrent dans la région (II *Rois*, xviii, 14, 17; *Esaïe*, xxxvi, 2; II *Chroniques*, xxxii, 9). L'importance stratégique de Lakish nous est prouvée par le fait que Roboam rebâtit la ville (II *Chroniques*, xi, 9). Lakish était renommée pour ses chars et ses coursiers, prototypes de nos armes blindées (*Michée*, i, 13). *Jérémie*, xxxiv, 7, nous ramène à la période qui nous intéresse en nous rappelant les combats dirigés par Nabuchodonosor

---

[1] Une première mise au point des résultats obtenus par les fouilles de Starkey, a été donnée par la *RB*, 1939, pp. 250-277, 406-433 et 563-583. La publication des fouilleurs en est à son quatrième volume: *The Wellcome Archaeological Research Expedition to the Near East Publications*, Lachish I, II, III, IV. *Lachish I* contient la publication préliminaire des ostraca par HARRY TORCZYNER.

La bibliographie relative aux ostraca est très importante. Elle représente une centaine d'études de volume et de valeur très divers; il est impossible de les citer toutes dans ce cahier. Une bibliographie, à jour jusqu'en 1950, se trouve dans H. MICHAUD, *La langue des ostraca de Duweir*, Strasbourg, thèse dactylographiée, pp. 13-19. Nous ne retiendrons que les études générales et celles qui sont postérieures à 1950: voir au chapitre bibliographique à la fin du cahier, à la rubrique « Ostraca de Lakish ».

contre Lakish et sa voisine la ville de Azéqah, avant la destruction de la capitale judéenne.

Or ces deux forteresses, Lakish et Azéqah, sont mentionnées ensemble dans l'un de nos ostraca. Cette lettre a trop
d'importance pour que nous ne la citions pas intégralement;
c'est le n° 4 de la collection (pl. VI). Le chef d'une forteresse
du sud de Juda écrit à son supérieur, le commandant de Lakish :

Recto

1 *Que Yahweh fasse entendre aujourd'hui à mon seigneur*
2 *de bonnes nouvelles! Et maintenant, selon tout ce que mon
seigneur a mandé,*
3 *ainsi a agi ton serviteur. J'ai écrit sur la porte* [1] *selon tout*
4 *ce que tu m'as mandé. Et pour ce qu'a mandé mon*
5 *seigneur au sujet de Bet hrpd* { *il n'y a là*
{ *il n'y a le nom de*
6 *personne. Quant à Semakyahu, Shemayahu l'a pris et*
7 *l'a fait monter à la ville. Quant à ton serviteur tu ne*
8 *l'y envoies même pas — Et pour ....*

Verso

9 *c'est que si dans sa tournée il s'est renseigné fi[dèlement]* [2],

---

[1] On peut aussi traduire : *j'ai écrit au sujet de la porte*. Il faudrait alors admettre
que le supérieur avait envoyé des ordres au sujet d'une porte, vraisemblablement
celle de la ville. En se rappelant qu'en arabe *kataba 'alâ* signifie « ordonner »,
« prescrire », voir *VT*, 1958, p. 180, on pourrait aussi tenter la traduction : j'ai
pris une décision par écrit au sujet de la porte. Le passage reste d'une interprétation difficile, voir *La langue des ostraca*, pp. 66-69.

[2] L'ensemble qui va de la ligne 6 jusqu'ici est interprété différemment par
F. M. Cross dans son étude *Lachish Letter IV*, dans *BASOR*, 144 (1956),
pp. 24-26. Cross reprend les lectures d'Albright, et celui-ci, en *postscriptum*,
propose des améliorations aux interprétations de son élève. Traduction de Cross,
p. 25 : « ... *Quant à Semakiah, Shemaiah l'a pris et l'a fait monter à la ville, et
(d'ici), moi, ton serviteur, je ne puis l'envoyer là-bas enco[re aujourd'hui]; mais
sûrement (demain) matin [je l'enverrai]*. »

Traduction d'Albright, p. 26 : « *Et moi, ton serviteur, je n'envoie pas les
té[moins] là-bas [aujourd'hui], mais dès demain matin [je les enverrai]*. »

Nous maintenons, en attendant de pouvoir consulter l'original, nos lectures
de 1951. Les raisons que nous exposions dans *La langue des ostraca*, pp. 71-75,
nous semblent toujours valables.

10 *il sait que les feux-signaux de Lakish* [1] *n-*
11 *ous (les) observons selon tous les signes (conventionnels) qu'a donnés*
12 *mon seigneur car nous ne voyons pas Azé-*
13 *qah.*

La lettre que nous venons de traduire, nous apprend que les deux forteresses de Lakish et de Azéqah communiquaient avec une troisième, celle où résidait l'expéditeur de la lettre, grâce à des feux-signaux (mot à mot, des choses élevées) probablement allumés sur le sommet de tours et obéissant à un code appelé ici « les signes ». Ce moyen de communiquer par des feux allumés sur les hauteurs est très ancien [2]. En *Juges*, XX, 40, le signal est une colonne de fumée. Le feu-signal est mentionné en *Jérémie*, VI, 1, qu'il faut traduire : « ... *sur Bethakèrèm élevez un feu élevé (un feu-signal)...* »; le prophète annonce ainsi une invasion ennemie. Les environs de Lakish étaient-ils déjà infestés d'ennemis babyloniens pour qu'on ait eu recours aux feux-signaux? Azéqah était-elle tombée entre leurs mains, puisqu'elle ne répondait pas aux appels de sa voisine? C'est possible, mais ce n'est pas certain. D'autres raisons graves qu'une invasion pouvaient nécessiter l'usage des feux-signaux et des conditions atmosphériques défectueuses pourraient expliquer pourquoi les signaux de Azéqah n'étaient pas visibles.

Notre ostracon constitue un bel exemple de correspondance populaire au temps des derniers rois de Juda. Parfois, comme dans l'ostracon n° 4, on omettait le nom du destinataire. Après une formule de politesse où la religion yahviste gardait ses droits, venaient de courtes phrases, chacune traitant générale-ment d'un sujet particulier. Ici on annonçait d'abord l'exé-

---

[1] La mention de Lakish dans l'ostracon n° 13, ligne 4 (ancienne ligne 3), n'est pas certaine.
[2] Voir A. PARROT, *Signalisation antique: Torches, Feu, Fumée*, dans le *Christianisme au XXᵉ siècle*, janvier 1947 et *RHPhR*, 1950, pp. 8-10.

Recto   Verso

Pl. VII. L'ostracon de Lakish nº 3.   p. 97

cution d'ordre reçus mais que nous ignorons, puisque la lettre du supérieur ne nous est pas parvenue : 1) « *Et maintenant, selon tout ce que mon seigneur a mandé, ainsi a agi ton serviteur* », avec utilisation de formes périphrastiques pour désigner les correspondants ; « mon seigneur » c'est le supérieur, le destinataire ; « ton serviteur » c'est l'expéditeur. 2) « *J'ai écrit sur la porte selon tout ce que tu m'as mandé* », peut-être s'agissait-il

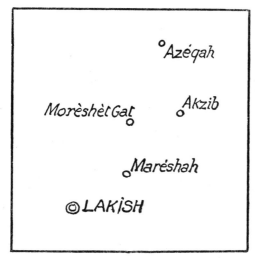

Fig. 19.   Lakish et ses environs.

de la transcription *publique* d'une ordonnance destinée à la population, sur un battant de la porte de la ville ; rappelons-nous que les ostraca 1 à 18 ont été découverts tout près de celle-ci. Peut-être s'agissait-il d'une réparation à faire à la porte de la ville (voir la note 1, p. 79)? Les formes simples sont employées pour désigner les correspondants, « je » et « tu ». Ensuite, c'était la réponse à des questions qui avaient été posées à l'expéditeur dans une lettre antérieure : 1) « *Et pour ce qu'a mandé mon seigneur au sujet de Bet hrpd, il n'y a là* (ou bien, *il n'y a le nom de*) *personne.* » Bet hrpd est une localité inconnue qui devait être probablement dans la région de Lakish et au sujet de laquelle on avait demandé des renseignements parce qu'elle était sur le territoire de l'expéditeur de ce billet. 2) «*Quant à Semakyahu, Shemayahu l'a pris et l'a fait monter à la ville*», la réponse signale un déplacement de personnes du lieu d'envoi de ce billet vers Jérusalem (la ville). L'expéditeur formule alors le regret de n'être pas envoyé lui-même à Jérusalem, «*Quant à ton serviteur tu ne l'y envoies même pas*». 3) Toute la fin de l'ostracon semble être la justification apportée par l'expéditeur à une question concernant la vigilance dans l'observation des feux-signaux. Il mentionnait, à la fin de la ligne 8 actuellement perdue, le nom de l'inspecteur qui était garant de sa vigilance et auprès de qui le destinataire pouvait prendre des informations (fig. 19).

Nous avons analysé brièvement le contenu de cet ostracon pour montrer les difficultés d'interprétation qu'offre ce genre de billets. Tout y était clair pour les correspondants. Pour nous, à qui manque l'autre billet auquel l'ostracon n° 4 répondait, tout est difficile et reste imprécis. Néanmoins, ces documents nous prouvent qu'on écrivait beaucoup de ville à ville. Ce qui se passait pour la liaison des villes entre elles, se produisait journellement entre les individus éloignés l'un de l'autre. La poterie hors d'usage était un matériau peu coûteux et relativement pratique.

* *
*

Les ostraca de Lakish nous permettent de nous représenter d'une manière admirable (pl. III, c, VI, VII et VIII) l'écriture qu'on utilisait au temps du prophète Jérémie. Ils permettent d'imaginer la copie d'un rouleau telle que nous la raconte le chapitre XXXVI du livre de Jérémie. L'année de la bataille de Karkémish (605), Jérémie reçut de Yahvé l'ordre d'écrire sur un rouleau toutes les paroles qu'il lui avait adressées depuis les jours de Josias, sur Israël, Juda et sur toutes les nations. Alors le prophète dicta à son secrétaire Baruk ce qui a été appelé le rouleau primitif, l'embryon qui deviendra l'actuel livre de Jérémie après de nombreuses vicissitudes littéraires. Ne voyons-nous pas Baruk, calame en main, penché sur le rouleau ouvert et y traçant les signes que nous lisons encore sur les ostraca de Lakish? Ce rouleau primitif eut un sort malheureux. Les paroles en furent lues au Temple un jour de jeûne par Baruk. Le roi, mis au courant des paroles terribles qui condamnaient sa politique, se fit faire lecture du rouleau, lacéra et brûla l'œuvre prophétique. Jérémie et Baruk échappèrent à la mort en se cachant. Jérémie reçut l'ordre de reproduire le contenu du rouleau brûlé et, de la même manière, Baruk se remit au travail sous la dictée du prophète, ajoutant de nombreuses paroles à celles du premier rouleau. Certes, les fouilles de Lakish ne nous ont pas rendu de rouleau ancien, mais par les ostraca nous pouvons nous faire une idée suffisamment précise de l'aspect matériel du document qu'on peut appeler le premier livre du prophète Jérémie. Pareillement nous pouvons nous représenter le livre du prophète Nahum, exultation de joie à l'annonce de la ruine de Ninive (612) et celui du prophète Habaquq. Les prophéties d'Ezéchiel, bien que se datant de l'exil babylonien, furent probablement mises par écrit encore au moyen de l'alphabet paléohébraïque en usage à Jérusalem au temps de la jeunesse du prophète, c'est-à-dire au moment où Jérémie exerçait son ministère dans la capitale judéenne.

* * *

Or tous les manuscrits qui nous ont conservé les livres bibliques que nous venons de mentionner, sont écrits en hébreu carré. Nous devons donc admettre qu'à un moment donné ces livres furent transcrits de la graphie paléohébraïque en hébreu carré. De la transcription d'un alphabet en un autre peuvent provenir un certain nombre d'erreurs que les exégètes relèvent dans le texte actuel de la Bible [1]. Notre connaissance de l'écriture paléohébraïque grâce aux ostraca de Lakish, nous donne la possibilité de déceler les erreurs possibles dans la translittération des livres qui sont de cette période, surtout lorsque les lettres sont mal formées ; c'est ainsi qu'il y a confusion facile en paléohébraïque de l'époque de Jérémie entre *d* et *r*, entre *n* et *m*, entre *b*, *k* et *p*, entre *h* et *w*, entre *nd* et *t*. On voit toutes les possibilités d'erreurs qui attendaient le scribe chargé de transcrire un livre biblique d'une écriture dans une autre. Et nous ne parlons pas ici d'autres fautes, dues à des défaillances de l'attention ou de la vue. Les ostraca de Lakish viennent en aide aux exégètes pour la critique textuelle de certains livres de l'Ancien Testament.

* * *

Nos ostraca nous dévoilent un peu ce qu'était la vie quotidienne en Judée au temps de Jérémie. Des soldats correspondent de ville forte à ville forte. Leur nom apparaît, que l'histoire ne retiendra pas. Pourtant, ne connurent-ils pas Jérémie, Ezéchiel ? Ne furent-ils pas leurs amis ou leurs adversaires ? Comme nous aimerions voir les ossements secs s'animer. Mais il ne nous reste plus que d'humbles tessons. Heureusement, ils parlent encore. Voici le nº 2 de la collection (pl. III, *c*) où apparaît le nom du destinataire, probablement le commandant de Lakish, Yaosh :

1   *A mon seigneur Yaosh ! Que fasse entendre*
2   *Yahweh à mon seigneur des nouvelles de paix*

---

[1] Pour ces erreurs on peut consulter F. DELITZSCH, *Die Lese und Schreibfehler im Alten Testament*, Berlin, 1920.

3 *aujourd'hui même! Qui est ton serviteur,*
4 *un chien, pour que mon seigneur se soit souvenu de*
5 *son serviteur! Que Yahweh favorise*
6 *[mon seig]neur! Dis ce que tu ne savais pas!*

A en juger par les formules que nous lisons ici et dans les autres ostraca, Yahvé seul semble avoir été vénéré par les correspondants de Lakish. Jamais n'est mentionné le nom d'une autre divinité. La comparaison des formules de nos textes avec celles des ostraca d'Eléphantine, plus récentes, mais émanant d'anciens adorateurs de Yahvé, est instructive, puisqu'à Eléphantine, au dieu des pères, appelé Yaho, est parfois associé le nom de dieux égyptiens ou mésopotamiens [1]. A Lakish, il ne semble pas que le syncrétisme impie ait déjà fait son œuvre. En tout cas, il ne se révèle pas dans les formules de nos textes. Il est bien difficile d'en dire plus sur la vie religieuse des contemporains de Jérémie qui resurgissent à la lumière grâce aux fragments inscrits que l'heureux hasard des fouilles a remis entre nos mains. D'ailleurs ce ne sont pas, à proprement parler, des textes religieux. Il n'en est que plus significatif d'y voir la religion mêlée à toute la vie. Comme nous l'avons dit, le véritable intérêt des ostraca de Lakish est de faire revivre à nos yeux certains aspects de la vie quotidienne en Judée au temps de Jérémie. Dans l'ostracon que nous venons de traduire, le correspondant fait un vœu pour que Yaosh réussisse dans une entreprise que nous ignorons. Enfin il demande un renseignement que Yaosh n'avait vraisemblablement pas pu lui donner dans un message précédent « *Dis ce que tu ne savais pas!* » [2].

---

[1] Voir *Actes du XXIᵉ Congrès international des orientalistes*, Paris, 1949, p. 110.
[2] Cette phrase pourrait aussi être traduite: *Dis ce que je ne savais pas!* Ce serait alors le correspondant qui demanderait un éclaircissement sur un message antérieur. Pour les problèmes posés par ce texte, voir notre étude dans *Syria*, 1957, pp. 45-46.

En d'autres textes, la diversité de la vie journalière est manifeste. Voici le n° 5 de la collection (figure 20). Certaines lectures et l'interprétation en sont difficiles. Voici celles que nous proposons [1]:

1   *Que Yahweh fasse entendre à mon seigneur*
2   *des nouvelles de paix et de bonheur..*
3   *... aujourd'hui! Qui est ton serviteur,*
4   *un chien, pour que tu aies envoyé à ton servi-*
5   *teur ce manteau* (?).
6   *Ton serviteur a retourné les lettres*
7   *à mon seigneur. Que te fasse voir Ya-*
8   *hweh la conjuration* (?) *à temps, en*
9   *ce jour. Est-ce à ton serviteur qu'apportera*
10 *Tobiyahu de la semence lammèlèk?*

La mention du manteau, partie essentielle du vêtement, nous met tout à fait dans l'atmosphère de la vie palestinienne. Ne sait-on pas que le manteau pris en gage ne devait pas être retenu après le coucher du soleil (*Exode*, XXII, 25-26), car le manteau servait de lit et de couverture aux pauvres gens? L'expéditeur du billet avait dû oublier son manteau qui lui avait été renvoyé. En II *Timothée*, IV, 13, Paul demande qu'on lui apporte le manteau qu'il a laissé à Troas chez Carpus.

Les lettres qu'a retournées l'expéditeur du billet étaient probablement des sortes de dossiers qui circulaient de ville à ville. Le présent dossier était-il en rapport avec la conjuration (?) dont il ne nous est donné aucun détail? C'est possible.

Enfin, une arrivée de semence est annoncée. L'armée n'avait donc pas que des fonctions militaires [2]. Le nom du répartiteur nous est donné, Tobiyahu. C'était peut-être le même personnage que celui dont nous lisons le nom dans l'ostracon

---

[1] Pour les justifications de notre interprétation, on verra *Syria*, 1957, pp. 47-49.
[2] Voir I *Samuel*, VIII, 12.

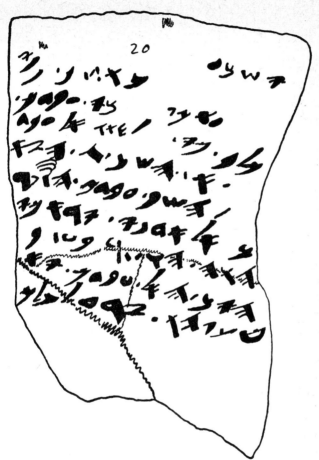

Fig. 20.   Ostracon de Lakish n°_5.

n° 3, ligne 19, où il est suivi de son titre « serviteur du roi » [1].
Si Tobiyahu était « serviteur du roi », serait-ce étonnant qu'il
fût répartiteur de semence mesurée avec les jarres royales
appelées *lammèlèk*, mot à mot « au roi », à cause de cette

---

[1] Sur le titre « serviteur du roi », voir DE VAUX, *Institutions*, I, pp. 184-185.

inscription imprimée sur leur anse? [1] Il pouvait s'agir de semence pour les champs du roi ou peut-être seulement pour l'armée ou pour certains particuliers? La mention de la semence pourrait être une indication du temps de l'année où fut écrit le billet.

Envoi d'un manteau, transfert de dossier, conjuration, répartition de semence royale, n'avons-nous pas là une variété d'intérêts et de tâches qui caractérisait la vie des soldats contemporains de Jérémie?

Nous pouvons lire maintenant le nº 9 de la collection (fig. 21); il témoigne de la même variété dans les occupations journalières. Cette fois-ci, il s'agit de livraison de pain, de témoignage dans une affaire de justice, de demande d'ordres pour le lendemain. La vie est ici à fleur de texte:

Recto

1 *Que Yahweh fasse entendre à mon sei-*
2 *gneur des nouvelles de paix et de bonheur!*
3 *(Envoie?) des miches 10 et*
4 *2! Voici, a servi de témoin*
5 *ton serviteur. Dis*
6 *par*

Verso

7 *l'intermédiaire de Qeshabyahu ce*
8 *que nous ferons de-*
9 *main!*

Le nom de l'intermédiaire n'est pas connu par la Bible. Il est d'autant plus intéressant d'apprendre l'extrême diversité des noms propres de cette période.

Parfois des noms de villes ou de pays apparaissent dont la mention nous est précieuse, même si ce qui les précède ou ce

---

[1] Voir ce que nous disons dans ce cahier, des inscriptions *lmlk*, p. 112.

Recto

Verso

Fig. 21. Ostracon de Lakish n° 9.

qui les suit n'est plus lisible. Voici ce qu'on peut lire encore de l'ostracon n° 8 (fig. 22) :

Recto

1 *Que Yahweh fasse entendre à mon seigneur des nou-*
2 *velles de bonheur aujourd'hui même! Voi-*
3 *ci* . . . . *Mo-*
4 *ab* . . . .
5 . . . .

Verso

6 . . . . *Akzib*
7 *Et voici, presse-toi, mon seigneur, là-bas!* (?)

Moab, le pays du même nom dont nous avons longuement parlé en étudiant la stèle de Mésha, est clairement écrit entre deux points séparatifs. Malheureusement nous ne pouvons plus rien lire ni avant, ni après lui. Akzib est probablement la ville de Juda qui est mentionnée en *Michée*, I, 14, après Lakish (v. 13) et Morèshèt Gat (v. 14) et avant Maréshah (v. 15) (fig. 19). On l'identifie généralement avec le Tell el-Beida[1]. La lecture de la septième ligne est conjecturale.

Dans d'autres billets dont l'écriture est très effacée, on devine encore la même diversité des occupations quotidiennes :

« *Mettez-vous au travail!* », n⁰ 13, ligne 2 (ancienne ligne 1) ; « (¹)*Jusqu'à ce soir* [. . . . .] *ton serviteur enverra la lettre qu'*(²)*avait envoyée mon seigneur* . . . . », n⁰ 18, lignes 1-2.

* * *

Nous avons appris que des sortes de dossiers circulaient entre les villes de Juda. Parmi eux se trouvaient assurément des listes comptables et des listes de noms dont les ostraca nous ont conservé quelques exemplaires.

Le n⁰ 19 de la collection (fig. 23) était une liste mentionnant dans l'ordre et pour chaque ligne, un nom propre et un chiffre :

---

[1] ABEL, *Géographie*, II, p. 237.

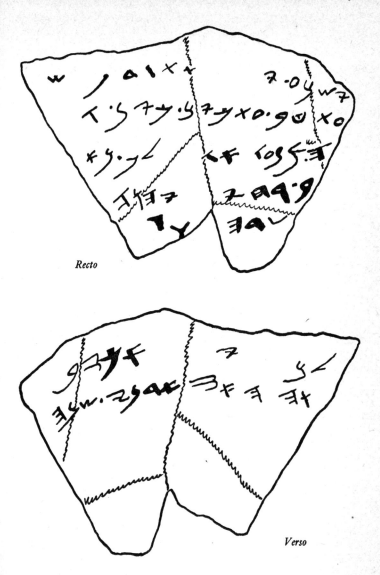

Recto

Verso

Fig. 22.   Ostracon de Lakish n° 8.

1	*Bèn Uts*	10
2	*Pèqah*	11
3	*Mbl*	100
4	*Shemayahu*	100
5	. . . .	
6	. . . .	
7	. . . .	11
8	. . . . .	
9	. . . . .	

Le nom propre Mbl ne nous est pas connu par ailleurs. Le texte ne nous dit pas quelles choses représentent les chiffres qui suivent les noms propres. S'agissait-il d'une distribution de vivres ou d'autres denrées? La présence du chiffre 11, à côté de 10 et 100, n'est pas favorable à l'hypothèse suivant laquelle notre liste désignerait le nombre de soldats affectés à divers chefs, de grades différents, puisque les effectifs des unités militaires étaient en principe des multiples de 10 [1]. Cette liste comptable nous rappelle des listes semblables insérées dans l'Ancien Testament, comme par exemple la liste des rois vaincus, dans le livre de Josué (*Josué*, XII, 9-24).

Parmi les ostraca de Lakish, nous avons aussi des listes de noms propres dont l'utilité ne nous apparaît plus. Elles peuvent avoir été, aussi bien des listes de témoins [2], que des états militaires indiquant la composition de corps expéditionnaires [3], ou des rapports de police citant les noms de personnes impliquées dans certaines affaires [4]. De toute manière, il faut admettre qu'un billet accompagnait chaque liste de noms

[1] *Vocabulaire biblique*, p. 118.
[2] C'est le cas d'une des tablettes cunéiformes de Sichem. Voir R. DUSSAUD, *Les découvertes de Ras Shamra et l'Ancien Testament*, p. 15, note 1.
[3] On verra plus loin que l'ostracon n° 3 fait mention de la constitution d'un corps expéditionnaire pour l'Egypte.
[4] C'est peut-être ainsi qu'il faut interpréter l'ostracon n° 4, lignes 5-6.

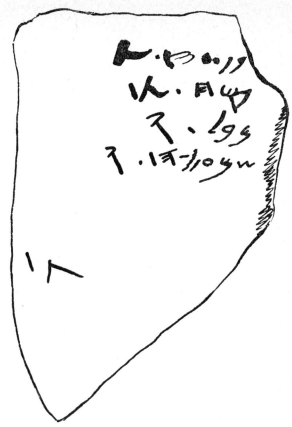

Fig. 23.   Ostracon de Lakish nᵒ 19.

pour en préciser le but. Ces listes de noms nous rappellent de semblables listes conservées dans les livres historiques de l'Ancien Testament et qui peuvent provenir de très vieilles archives.

De l'ostracon nᵒ 11, quelques noms seulement restent lisibles. Par contre, l'ostracon nᵒ 1 (fig. 24) est d'une lecture facile :

1 *Gemaryahu fils de Hitsilyahu*
2 *Yaazanyahu fils de Tobshillém*
3 *Hagab fils de Yaazanyahu*
4 *Mibtahyahu fils de Yirmeyahu (Jérémie)*
5 *Matanyahu fils de Nériyahu*

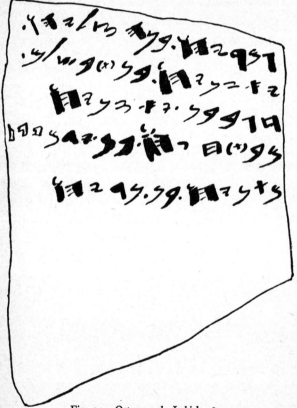

Fig. 24. Ostracon de Lakish n° 1.

Quelques-uns de ces noms apparaissent ici pour la première fois ; la majorité nous en est cependant connue par l'Ancien Testament. Mis à part dans la liste les noms qui ne sont pas théophores, Tobshillém et Hagab, tous les autres sont des noms yahvistes (-yahu), ce qui confirme que la religion de ces gens était bien la religion de Yahvé. Nos documents ne permettent pas d'en dire plus sur ce point.

Le Jérémie mentionné dans notre texte était père de Mibtahyahu. Ce n'était donc pas le prophète du même nom puisque nous savons par l'Ancien Testament que le prophète Jérémie n'était pas marié, *Jérémie*, XVI, 2. Notre liste de noms a par conséquent pour intérêt de nous montrer que le nom porté par le prophète était un nom courant à cette époque. D'ailleurs, dans le livre de Jérémie, d'autres Jérémie que le prophète sont nommés (XXXV, 3; LII, 1). Pour distinguer le prophète des gens du même nom, on disait: Jérémie le prophète, *Jérémie*, XX, 2; XXV, 2; XXVIII, 5, 10, etc. Gemaryahu, Yaazanyahu et Nériyahu sont aussi des noms qui devaient être fréquemment portés puisque ce sont par ailleurs les noms de contemporains du prophète. Voir par exemple, *Jérémie*, XXXII, 12; XXXVI, 10, 14; XL, 8; etc.

* * *

Si LE PROPHÈTE JÉRÉMIE n'est pas nommé dans la précédente liste, ne l'est-il pas en d'autres ostraca? Serait-ce extraordinaire qu'il le soit, puisqu'à l'époque où nos textes furent écrits, le prophète vivait à Jérusalem, à moins de 50 kilomètres de Lakish?

On a voulu lire le nom de Jérémie, suivi du titre « le prophète », dans le nº 16 de la collection (fig. 25)[1]. Toutefois, la ressemblance de certaines parties de l'ostracon nº 16 avec les lignes 5-7 de l'ostracon nº 9, nous a conduit à l'interprétation suivante:

---

[1] Voir *La langue des ostraca*, p. 132.

Recto

3 .... *L'a envoyé ton*
4 [*serviteur! D*]*is par la bouche de Qe-*
5 [*shabya*]*hu le prophète*
6 ....

Si notre interprétation des lignes 4 et 5 de ce texte est acceptée, le prophète dont il s'agissait ici n'était pas Jérémie. Les prophètes ne manquaient pas en Judée! Ils se mêlaient

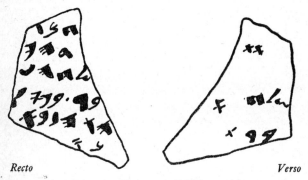

Recto   Verso

Fig. 25. Ostracon de Lakish nº 16.

à la vie quotidienne des gens du peuple. N'est-ce pas l'image que nous donne d'eux l'Ancien Testament lorsqu'il nous rapporte de quelle manière Jérémie s'opposa aux prétentions du prophète Hananiah aux yeux de tout le peuple (*Jérémie*, XXVIII)?

Dans l'ostracon nº 17, à la ligne 3, plusieurs de ceux qui se sont intéressés à ces documents, ont voulu lire le nom de Jérémie (fig. 26). Il s'agit d'un petit fragment de billet dont nous ne connaissons pas les dimensions primitives. A la ligne 3, nous lisons « mon seigneur »; la première lettre de cet ensemble devait être écrite à la fin de la deuxième ligne. Pourtant, si

même on y pouvait lire le nom de Jérémie, puisque le titre
« le prophète » ne s'y trouve pas, nous
n'aurions pas encore la preuve qu'il
s'agit du personnage biblique.

Dans le n⁰ 3 de la collection
(pl. VII), le plus long des ostraca de
Lakish, il est fait mention d'un prophète qu'on ne nomme pas. Etait-ce
Jérémie? Nous serons peut-être en
mesure de répondre à cette question
quand nous aurons pris connaissance
de la lettre. La voici [1] :

Fig. 26. Ostracon
de Lakish n⁰ 17.

Recto

1 *Ton serviteur Hoshayahu a envoyé*
2 *communiquer à mon seigneur Yaosh: Que fasse entendre*
3 *Yahweh à mon seigneur des nouvelles de paix*
4 *et des nouvelles de bonheur! Et maintenant, ouvre*
5 *donc l'entendement de ton serviteur pour la lettre que*
6 *tu as envoyée hier soir à ton serviteur, car le cœur*
7 *de ton serviteur est triste (?) depuis ton envoi à ton*
8 *serviteur et parce que mon seigneur a dit « Tu ne sais pas*
9 *lire une lettre! » Vive Yahweh (pour me punir) si quelqu'un
   a tenté*
10 *jamais de lire une lettre pour moi! Et même*
11 *toute lettre qui m'arrive, lorsque*
12 *je l'ai lue, ensuite je puis assurément la redonner*
13 *en détails! — Et à ton serviteur on a communiqué*
14 *ceci: « Le chef de l'armée,*
15 *Konyahu fils d'Elnatan, est descendu pour aller*
16 *en Egypte! » et*

[1] Pour la justification des lectures que nous adoptons, nous renvoyons à
La langue des ostraca, pp. 43-57.

Verso

17 *Hoduyahu fils d'Ahiyahu et*
18 *ses hommes, il a envoyé prendre d'ici.*
19 *Quant à la lettre de Tobiyahu, serviteur du roi, parvenue*
20 *à Shallum fils de Yaddua de la part du prophète di-*
21 *sant « Garde-toi! », ton serviteur l'a envoyée à mon seigneur!*

Nous apprenons le nom de l'officier qui envoya la présente lettre et peut-être d'autres lettres de la collection; Hoshayahu était un nom courant à l'époque de Jérémie (*Jérémie*, XLII, 1 et XLIII, 2). Après cette mention, celle du nom du destinataire, Yaosh, et les formules de politesse, Hoshayahu, qui avait certainement encouru de son supérieur le reproche de ne pas savoir lire les lettres qu'on lui adressait, se défend en affirmant sa science et sa perspicacité. Ensuite, Hoshayahu communique à Yaosh une nouvelle qu'on lui a apprise, l'envoi en mission en Egypte du général Konyahu fils d'Elnatan. Peut-être cette mission était-elle en rapport avec la politique de rapprochement à l'égard de l'Egypte que pratiqua Sédécias pour s'assurer un appui en face de la menace babylonienne? [1] C'est possible! Ce que sait en tout cas Hoshayahu, c'est que, pour constituer cette mission, on a prélevé sur ses effectifs, un chef, Hoduyahu, et ses hommes; il en prévient Yaosh. Déjà à l'époque d'Amarna, la région de Lakish était un centre de réapprovisionnement pour les *habiru* [2]. A la ligne 19 commence un sujet nouveau, un sujet qui n'a peut-être aucun rapport avec l'expédition dont il a été parlé dans les lignes précédentes. Hoshayahu envoie à Yaosh, une lettre de Tobiyahu, serviteur du roi, dont le contenu est résumé en ces mots

---

[1] Sur les événements de cette période, on consultera A. PARROT, *Babylone et l'Ancien Testament*, p. 71.
[2] Voir B. BONKAMP, *Die Bibel im Lichte der Keilschriftforschung*, pp. 300, 306, 307, 308.

« *Garde-toi!* ». Tobiyahu était vraisemblablement le même personnage que celui dont nous avons déjà lu le nom dans l'ostracon nº 5, ligne 10. Le titre de « serviteur du roi » qui lui est donné le désigne comme un haut fonctionnaire de la cour [1]. L'importance de la lettre transmise à Yaosh ressort de la mention du destinataire, Shallum, et de celle de l'intermédiaire, le prophète. La poste d'alors c'étaient des courriers; nous apprenons que les lettres importantes passaient par les mains de personnes de confiance, de particuliers dont on connaissait le nom ou la fonction. Si, comme il semble bien, le destinataire de la lettre de Tobiyahu était Shallum, il faut admettre que Hoshayahu qui l'envoie à Yaosh, se l'est procurée par un moyen anormal et qu'elle constituait un document compromettant dans une affaire que nous ignorons. Mais l'expression « *de la part du prophète* » peut être comprise d'une autre manière encore; elle peut signifier que c'est sur ordre du prophète que Tobiyahu a écrit à Shallum. Dans ce cas, le prophète n'est plus un simple transmetteur, mais le véritable inspirateur de la lettre «saisie» (?) par Hoshayahu et transmise à Yaosh. Quoi qu'il en soit de l'interprétation de ce difficile passage, pouvons-nous savoir qui était le mystérieux prophète, transmetteur ou inspirateur de la lettre de Tobiyahu à Shallum? Puisqu'on ne le nomme pas, serait-ce Jérémie dont le nom était bien connu de tous en Judée? [2] S'il s'agissait de Jérémie, notre passage prendrait une importance exceptionnelle. Nous savons en effet qu'au moment où le versatile Sédécias penchait pour l'alliance avec l'Egypte, Jérémie prêchait inlassablement la soumission à Babylone. Jérémie avait d'ailleurs ses partisans à la cour royale, lesquels, à son exemple, ne voulaient pas entendre parler de secours

---

[1] Voir II *Rois*, XXII, 12. Le même titre se lit sur des sceaux hébraïques, voir DIRINGER, *Le iscrizioni*, pp. 229-231.

[2] Pour de plus amples détails sur cette question, voir *La langue des ostraca*, pp. 9-10.

égyptien. Si le prophète mentionné dans le passage que nous expliquons est Jérémie, il faut admettre que Tobiyahu était un de ses partisans et qu'il mettait en garde son correspondant Shallum contre la politique proégyptienne : « *Garde-toi!* ». La lettre, ou bien aurait passé par les mains du prophète pour recevoir son accord, ou bien aurait été inspirée par lui à Tobiyahu. Dans cette hypothèse, tout ce qui nous est dit de la lettre de Tobiyahu serait en rapport avec ce qui précède, la mission en Egypte : au moment où le roi s'engage dans la voie des négociations avec l'Egypte en y envoyant une mission militaire, un partisan de Jérémie, haut placé à la cour, Tobiyahu, regroupe les forces d'opposition, avec l'accord de Jérémie ou poussé par lui. Cette exégèse du passage, très tentante à première vue, ne peut être admise que très difficilement. En effet, si Tobiyahu, grand personnage de la cour, avait été un partisan de Jérémie, le livre biblique du prophète n'eût pas manqué de le nommer. Or, Tobiyahu n'est pas mentionné dans ce livre parmi les partisans du prophète. D'autre part, comme nous l'avons déjà indiqué, il n'est pas certain que ce qui nous est rapporté de la lettre de Tobiyahu soit en rapport avec ce qui est dit précédemment de la mission en Egypte. Il y avait beaucoup de prophètes en Judée. Nous en connaissons par le livre même de Jérémie et, si nous avons correctement interprété l'ostracon n⁰ 16, nous connaissons aussi un prophète Qeshabyahu. Comme de très nombreux passages des ostraca, celui-ci demeure encore obscur et conserve son secret.

Il nous reste un long billet à étudier, l'ostracon n⁰ 6 (pl. VIII). Plusieurs exégètes ont estimé qu'il offre des ressemblances littéraires avec certains passages du livre de Jérémie [1]. Voici ce texte de lecture difficile en de nombreux endroits où l'encre est effacée :

---

[1] Voir *Revue des études sémitiques — Babyloniaca*, 1941, pp. 57-59.

1 *A mon seigneur Yaosh. Que Yahweh fasse voir à*
2 *mon seigneur la paix en ce temps-ci! Qui*
3 *est ton serviteur, un chien, que mon seigneur ait envoyé la*
4 *lettre du roi et les lettres des grands en di-*
5 *sant: « Lis donc! ». Et voici: les paroles des grands*
6 *ne sont pas bonnes pour provoquer le relâchement des forces
   de Honte* [1] *et pour*
7 *ressaisir les forces des hommes du côté de la ville..* [2]
8 *... moi ... mon seigneur, est-ce que tu*
9 *ne leur écriras pas en disant: « Pourquoi agissez-vous*
10 *comme cela et livrez-vous un innocent?* [3] *» Est-ce que pour le*
11 *roi ....*
12 *...... par Yahweh ton*
13 *Dieu! C'est que, depuis qu'a lu ton*
14 *serviteur les lettres, il n'y a pas*
15 *pour ton serviteur ....*

Après une adresse et des formules de politesse, nous apprenons que Yaosh a envoyé à son subordonné pour avoir son
avis sur leur contenu, des lettres émanant du roi et des grands,
peut-être ministres ou officiers supérieurs, des lettres provenant presque certainement de Jérusalem. L'avis du correspondant est donné dans les lignes qui suivent. L'expéditeur du
billet a été surtout frappé par l'effet désastreux que pouvaient

---

[1] Certains exégètes ont lu: *les forces* (mot à mot: *les mains*) *des Chaldéens.*
Nous pensons pouvoir lire: *les forces de Honte*, c'est-à-dire, *les forces de Bél-
Mardouk*, le grand dieu de Babylone. On sait qu'en ce temps, les forces guerrières
étaient considérées comme conduites par le dieu, c'étaient les forces du dieu.
On sait aussi que les Hébreux remplaçaient parfois le nom abhorré du dieu Baal
par le mot « honte », voir *Lexicon*, p. 158. Or Bél n'est autre que la forme accadienne de Baal. On nous objectera que le nom de Bél est reproduit tel quel dans
le livre de Jérémie (*Jérémie*, L, 2; LI, 44). Mais cette remarque n'est pas déter-
minante, puisque dans les noms propres, le nom de Baal se trouve parfois écrit
« Baal », à côté de son substitut le mot Honte. Quoi qu'il en soit de la lecture
et de la traduction, nous croyons qu'il est bien question des Chaldéens dans le
passage.
[2] Pour la lecture de cette ligne, nous renvoyons à *La langue des ostraca*, pp. 96-
97.
[3] Pour la lecture de ce difficile passage, voir *La langue des ostraca*, pp. 97-98.

avoir certains propos tenus par les grands personnages dont il a lu les lignes. Il demande ensuite à Yaosh s'il n'écrira pas à ces derniers pour éviter la mort d'un innocent (?). Nous ne pouvons plus lire ce que le correspondant pensait de la lettre du roi, ni apprendre quel effet, vraisemblablement mauvais, avait produit sur lui cette lecture.

Les lignes 5-7 de notre ostracon doivent maintenant être comparées à *Jérémie*, XXXVIII, 4. Le passage du livre biblique fait allusion aux paroles que le prophète Jérémie adressait au peuple, lui conseillant de se rendre aux Chaldéens s'il ne veut pas périr par le glaive, la famine ou la peste, puisque aussi bien Jérusalem sera prise par le roi de Babylone : « *Les grands* (c'est-à-dire ici : les ministres) dirent au *roi* : Que meure cet homme (Jérémie) parce qu'il *provoque le relâchement des forces* (mot à mot : des mains, comme dans notre ostracon) des combattants qui restent dans cette ville et les *forces de* tout le peuple en leur parlant comme il fait... » Les mots que nous avons soulignés dans la traduction du texte biblique sont ceux que nous avions lus déjà dans l'ostracon. La ressemblance littéraire entre les deux textes est indéniable, mais nous devons souligner que les situations qu'ils supposent ne sont pas identiques. Dans l'Ancien Testament, les ministres rapportent quel effet désastreux la prédication de Jérémie produit sur les combattants de Jérusalem et sur la population de la ville. Dans notre ostracon, un officier donne son sentiment sur les paroles des grands ; s'agit-il des ministres ? c'est en tout cas le même mot hébreu qui est employé. L'officier estime que les propos des grands ne sont pas propres à décourager les Chaldéens et à encourager les Judéens. En somme les grands par leurs paroles encourageaient les Chaldéens et décourageaient les Judéens ? C'est bien ce que pensait le correspondant de Yaosh ! S'il en est ainsi, les grands dont il est question dans l'ostracon auraient été des partisans de Jérémie et auraient demandé comme lui, la reddition à Babylone, d'où l'abattement des Judéens et l'encouragement apporté aux Chaldéens. Dans ce cas, les grands de l'ostracon ne sont pas les ministres dont parle le livre de Jérémie, puisque ceux-ci sont des ennemis du prophète. On voit donc bien que la comparaison des deux textes est difficile. Il n'en demeure pas moins que tous les deux nous apportent, chacun à sa manière, un écho de la politique probabylonienne de Jérémie et de ses partisans.

Si la lecture et l'interprétation que nous donnons des lignes 9-10 sont correctes, on peut se demander qui était l'innocent dont il y est parlé. Pourrait-on penser à Jérémie, emprisonné par ses ennemis et menacé de mort? Malheureusement la lecture des signes de ce passage est incertaine. Mais encore même qu'elle serait assurée, il s'agirait difficilement de Jérémie, puisque les grands, partisans d'une politique pro-babylonienne, nous venons de le voir, n'auraient pas porté la main sur le prophète qui devait être leur principal inspirateur.

Quoi qu'il en soit des solutions apportées aux énigmes multiples que contiennent les ostraca de Lakish, le dernier billet que nous avons traduit nous met sans conteste dans l'atmosphère tendue des derniers jours de Jérusalem et de Lakish, quelque temps avant que les Chaldéens ne réduisent à l'impuissance les deux cités. Notre ostracon doit donc se dater de 587 puisque nous savons par l'Ancien Testament que l'armée chaldéenne commença le siège la neuvième année de Sédécias (*Jérémie*, XXXIX, 1). C'est probablement la même année que fut écrit le seul ostracon de Lakish qui porte une date, le nᵒ 20 de la collection:

1   *En la neuvième (année)* ... [1]

De cet ostracon, rien d'autre malheureusement ne peut être lu qui puisse nous apporter quelque lumière sur la fin tragique des villes fortes du royaume de Juda.

---

[1] Le rapprochement a déjà été fait par A. PARROT, *Babylone et l'Ancien Testament*, p. 72, note 1.

Chapitre IX

Chez le graveur de sceaux

Après celui de scribe, le métier de graveur de sceaux devait être un des plus importants d'Israël. Le sceau était en effet un objet de première nécessité en Palestine. Il servait de marque de propriété et son possesseur l'apposait dans l'argile fraîche d'une jarre ou dans la cire d'un cachet. Ainsi, lorsque Jérémie achète le champ de Hanamél son cousin (*Jérémie*, XXXII, 6-14), il *scelle* l'acte de vente en présence de témoins (XXXII, 10). Le sceau pouvait aussi servir de pièce à conviction à un adversaire dans un procès (*Genèse*, XXXVIII, 18, 25). Il était par conséquent d'un usage courant. Il avait la forme d'un cachet, plat ou convexe, fixé à une bague ou porté au cou par un cordonnet. Parmi les multiples sceaux que nous connaissons, les uns sont seulement dessinés de motifs divers, d'autres sont dessinés et écrits au nom du possesseur, certains enfin ne comportent qu'une épigraphe. Nous ne nous intéressons ici qu'aux sceaux hébraïques inscrits. On en connaît actuellement au moins 160, provenant de fouilles ou d'achats. Parmi eux nous retiendrons seulement ceux qui nous permettent d'évoquer l'Ancien Testament, généralement grâce aux noms propres dont nous nous garderons d'identifier ceux qui les portaient avec les personnages bibliques, sauf lorsqu'il y aura de très fortes présomptions pour cela. Pour chaque sceau que nous étudierons, nous donnerons en note une sorte de fiche signalétique pour ne pas alourdir notre exposé.

On a récemment découvert à Mallia dans l'île de Crète l'atelier d'un graveur de sceaux [1]. On y a trouvé plus d'une centaine de pierres taillées et gravées. Nous pouvons imaginer maintenant que nous visitons un atelier semblable à Jérusalem. Nous avons sous les yeux des sceaux ou des empreintes ; les sceaux sont gravés à l'envers pour donner par impression une épigraphe qui se lise normalement.

* * *

Voici d'abord le sceau d'une Abigaïl (fig. 27) [2] : *A Abigaïl femme de Asayahu.* Nous nous rappelons alors une autre Abigaïl, femme de Nabal, renommée dans l'Ancien Testament pour son intelligence et pour sa beauté ; elle devint femme de David après une aventure qui nous est contée dans le premier livre de *Samuel*, XXV, 2-42.

Fig. 27.
Sceau d'Abigaïl.

* * *

A côté de celui d'Abigaïl, un sceau magnifique attire notre attention aussi bien par la beauté de l'image que par le contenu de l'inscription, c'est le sceau de Shèma (pl. IX, a) [3] : *A Shèma serviteur de Jéroboam.* L'écriture est antérieure à l'exil et certains savants ne voient aucune impossibilité à ce que le sceau ait appartenu à un haut fonctionnaire de Jéroboam II, roi

[1] Voir *Haarèts*, nᵒ du 16 octobre 1957, p. 4.
[2] Trouvé à Ascalon (?). Fut acquis vers 1895. « *Sceau en cornaline rouge taillée en forme de scarabéoïde bombé et poli. Non percé et probablement destiné à être enchâssé dans une bague. Dimensions : 0 m 014 sur 0 m 01.* — Collection Ustinow, à Jaffa. » *Rép. ES*, I, nᵒ 383. Voir DIRINGER, *Le iscrizioni*, pp. 218-219.
[3] Trouvé dans les fouilles de Meguiddo. « *Intaille de jaspe poli, de 0 m 035 suivant le grand axe et 0 m 0265 suivant le petit. Trouvée par l'ingénieur Schumacher, en mars 1904.* » *Rép. ES*, II, nᵒ 534. Autrefois au musée des antiquités d'Istambul, il est aujourd'hui perdu, voir MOSCATI, *L'epigrafia*, p. 70. Sur le sceau, voir DIRINGER, *Le iscrizioni*, pp. 224-228.

d'Israël (786-746). Si le sceau était plus ancien, il faudrait
penser à un Jéroboam, haut personnage différent du roi, mais
exclure le roi Jéroboam I (922-901) [1].

L'image représente un lion rugissant, d'une très grande
justesse d'observation. On sait qu'il y avait encore des lions
en Palestine aux temps de l'Ancien Testament. C'est l'un d'eux
que le graveur a reproduit ici, dans une pose qui ne peut
manquer de nous rappeler le passage du prophète *Amos*, III,
8 : « *Le lion rugit, qui ne serait dans la crainte, le seigneur Yahvé
parle, qui ne prophétiserait ?* [2] » Le sceau de Shèma illustre
parfaitement ce verset qui fut probablement prononcé au
temps de Jéroboam II. On peut encore rapprocher une autre
parole du même livre, prononcée vers le même temps, celle
dans laquelle le prophète compare Yahvé à un lion : « *Yahvé
rugit de Sion et de Jérusalem il donne de la voix* » (*Amos*, I, 2).

Ce sceau nous permet d'évoquer les images
favorites de l'homme de Dieu. Peut-être même
Shèma entendit-il les paroles menaçantes du
prophète?

* * *

Fig. 28. Sceau
du scribe Amots.

Plus discret est le sceau d'Amots (fig. 28) [3] :
Amots le scribe. Il nous est un double rappel, et
du métier de scribe dont l'importance était
grande en Israël et du père du prophète Esaïe (*Esaïe*, I, 1) [4].

---

[1] Voir DIRINGER, *Le iscrizioni*, p. 227, pour les discussions relatives à l'âge
du sceau.

[2] Le rapprochement avec le passage du prophète a déjà été fait, voir A. PARROT,
Samarie capitale du royaume d'Israël, p. 58.

[3] Sceau de provenance inconnue. « *Scarabéoïde, à usage de cachet, acheté au
Caire. La matière n'est pas notée. Deux personnages en costume persan, en face
l'un de l'autre, de chaque côté d'un autel à parfums. Au-dessus de l'autel, disque
ailé... Faisait partie de la collection du Dr Grant. Destination inconnue.* » *Rép. ES*,
III, n° 1832. Le *Rép. ES*, *ibidem*, donne le sceau comme araméen ; l'inscription
étant hébraïque, il faut entendre par araméen, un document de la même époque
que les documents juifs en araméen à Eléphantine. Voir sur le sceau, DIRINGER,
Le iscrizioni, pp. 234-235.

[4] Voir DIRINGER, *Le iscrizioni*, p. 235.

* *
*

Voici un sceau à la décoration égyptisante, celui d'Ashna (pl. IX, b) [1] : *A Ashna serviteur d'Ahaz*. Ashna était probablement un haut fonctionnaire d'Ahaz, roi de Juda qui régna de 735 à 715 [2].

* *
*

Encore un sceau ayant appartenu à un haut fonctionnaire, celui de Shèbna (pl. IX, e) [3] : *A Shèbna (fils d') Achab*. S'agirait-il du majordome Shèbna qui vivait au temps du roi Ezéchias et dont nous avons déjà parlé? L'épigraphie ne s'opposerait pas à une telle identification [4].

* *
*

C'est maintenant le sceau d'Asaph (fig. 29) [5] : *A Asaph*. De l'avis de ceux qui l'ont étudiée, l'épigraphe est antérieure à l'exil et peut-être du VIIe siècle. S'il en est bien ainsi, Asaph pourrait avoir été le père du chroniqueur d'Ezéchias, Yoah, II *Rois*, XVIII, 37; *Esaïe*, XXXVI, 3, 22 [6]. Asaph nous rappelle aussi le personnage dont le nom

Fig. 29.
Sceau d'Asaph.

figure en tête d'un grand nombre de Psaumes (L; LXXIII-LXXXIII).

---

[1] La fiche signalétique se lit dans MOSCATI, *L'epigrafia*, p. 59, n⁰ 21.
[2] Voir *ibidem*.
[3] Trouvé dans les fouilles de Tell ed-Duweir. Pierre calcaire taillée en forme de bouton, de o m 015 sur o m 013 sur o m 005. Voir DIRINGER, *Le iscrizioni*, pp. 214-215 et MOSCATI, *L'epigrafia*, p. 69, n⁰ 57.
[4] II *Rois*, XVIII, 18, 26, 37; XIX, 2. Voir dans ce cahier, pp. 72-74.
[5] Trouvé dans les fouilles de Meguiddo en 1905. « *Pierre sigillaire en lapis-lazuli, avec des figures égyptiennes...* », *Rép. ES*, III, n⁰ 1266. Doit être au musée des antiquités d'Istambul. Voir DIRINGER, *Le iscrizioni*, pp. 168-170.
[6] Voir *ibidem*, p. 169.

* * *

Cette fois-ci voilà une empreinte (pl. IX, c) [1] : *A Gedalyahu majordome*. C'est une empreinte de sceau sur argile au revers de laquelle se remarquent encore des traces de fibres de papyrus. Cette empreinte scellait vraisemblablement un document officiel, matériellement semblable à celui que Jérémie cacheta en présence de témoins pour conclure l'achat du champ de Hanamél (*Jérémie*, XXXII, 10). Gedalyahu était, pense-t-on, le gouverneur de Judée, nommé par les Babyloniens après la prise de Jérusalem et connu par ses sympathies pour la politique probabylonienne de Jérémie, hélas trop tôt assassiné (*Jérémie*, XXXIX, 14 ; II *Rois*, XXV, 22-25 et *Jérémie*, XL, 5-XLI, 18). Pour expliquer le titre qu'il porte sur le sceau, celui de majordome (mot à mot « celui qui est sur la maison »), c'est-à-dire le titre de plus haut fonctionnaire du palais royal et même de tout le royaume, le R.P. de Vaux admet avec vraisemblance qu'avant la venue des Babyloniens à Jérusalem, Gedalyahu était majordome, ce qui expliquerait bien pourquoi, parmi les personnes déportées après la prise de la ville, le majordome n'est pas mentionné (II *Rois*, XXV, 19) [2] ; le majordome devenu gouverneur de Judée pour le compte des Babyloniens ne pouvait pas être déporté.

* * *

Le sceau suivant évoque la fin tragique de Gedalyahu, c'est celui de Yaazanyahu (pl. IX, d) [3] : *A Yaazanyahu serviteur du roi*. Le sceau a été découvert dans une tombe à

---

[1] La fiche signalétique se lit dans MOSCATI, *L'epigrafia*, pp. 61-62, nᵒ 30.

[2] Le R.P. DE VAUX, *Le sceau de Godolias, maître du Palais*, RB, 1936, pp. 96-102.

[3] Trouvé dans les fouilles de Mitspa, dans une tombe, en 1932. Agate de forme ovale, plane d'un côté, convexe de l'autre et perforée dans la longueur, de 0 m 019 sur 0 m 018 ; sa plus grande épaisseur est de 0 m 012. Voir DIRINGER, *Le iscrizioni*, p. 229 et MOSCATI, *L'epigrafia*, p. 70, nᵒ 69. Le sceau est au musée des antiquités palestiniennes à Jérusalem.

Mitspa, ville d'où Gedalyahu gouvernait toute la Judée au nom du roi de Babylone et où il fut assassiné par Ishmaël un adversaire de la politique de « collaboration » avec Babylone (*Jérémie*, XLI, 1-2). Parmi les partisans d'Ishmaël, la Bible mentionne un certain Yaazanyahu (II *Rois*, XXV, 24 et *Jérémie*, XL, 8) dont nous avons probablement le sceau sous les yeux [1].

* * *

Nous terminons notre visite de l'atelier du graveur de sceaux en regardant trois empreintes du même cachet, celui d'Eliaqim (fig. 30) [2] : *A Eliaqim intendant* [3] *de Yokin*. Ce Yokin était certainement le roi Yehoyakin [4] déporté en 597 à Babylone [5]. De la date du sceau dépend toute l'interprétation que l'on peut donner

Fig. 30. Empreinte du sceau d'Eliaqim.

de la mention d'un intendant du malheureux roi en Palestine [6].

[1] Pour tous ces événements, voir A. PARROT, *Babylone et l'Ancien Testament*, pp. 82-83.

[2] Deux des empreintes proviennent des fouilles de Tell Beit Mirsim et une des fouilles de Bet Shèmèsh. Voir DIRINGER, *Le iscrizioni*, pp. 126-127 et MOSCATI, *L'epigrafia*, p. 82, nº 9.

[3] Nous adoptons la traduction d'ALBRIGHT, voir DIRINGER, *Le iscrizioni*, p. 126.

[4] Pour l'équivalence Yokin, Yehoyakin, voir DIRINGER, *Le iscrizioni*, p. 126.

[5] Les textes non bibliques qui se rapportent à Yehoyakin sont cités dans A. PARROT, *Babylone et l'Ancien Testament*, pp. 84-87.

[6] Si les empreintes sont postérieures à 597, c'est-à-dire si elles sont postérieures à la déportation de Yehoyakin, on pourrait tirer de leur présence en Palestine des conclusions qui sont exposées par A. PARROT, *ibidem*.

Chapitre X

Inscriptions et estampilles sur jarres

On faisait grand usage de poterie dans l'antiquité. Parfois, pour indiquer qu'une jarre était la propriété d'un particulier ou avait une provenance qu'il fallait mentionner, on imprimait au moyen d'un sceau ou on gravait dans l'argile fraîche, sur l'une des anses ou sur les deux, tous les renseignements nécessaires; la poterie était alors passée au four. Parfois on écrivait à la pointe, d'un trait léger, sur l'argile déjà cuite. On a découvert dans les fouilles palestiniennes plus de 700 anses de jarres portant une estampille ou une inscription.

Anses de jarres de Gabaon

La ville de Gabaon est restée célèbre par deux récits de l'Ancien Testament, celui de la ruse que préparèrent les Gabaonites pour apitoyer Josué victorieux (*Josué*, IX, 3-27) et celui de Josué arrêtant le soleil (*Josué*, X, 12-15).

Où était Gabaon? Son nom hébreu, Gib'on, s'est conservé dans celui du village arabe de el-Jib, à 10 kilomètres et demi au nord de Jérusalem [1]. Des fouilles y furent entreprises en 1956 sous la direction du professeur J. B. Pritchard [2]. On y mit au jour un vaste bassin et une partie du rempart. Mais le plus grand intérêt de cette première campagne de fouilles est dans trois modestes anses de jarres sur deux desquelles

---

[1] Abel, *Géographie*, II, p. 335.
[2] *RB*, 1957, pp. 228-230.

se lit le nom hébreu de Gabaon [1]. C'est la première fois qu'en Palestine une identification de site nous est offerte avec une telle clarté: le village de el-Jib produit des anses de jarres au nom de Gabaon. La Gabaon biblique était là où maintenant poussent les figuiers et les vignes de el-Jib.

La campagne de 1957 [2] a permis de dégager entièrement le bassin et de découvrir, parmi les débris qui le comblaient, 54 nouvelles anses de jarres inscrites. Ces inscriptions nous instruisent sur la nature d'un commerce dont vivaient plusieurs riches propriétaires de Gabaon, la vente de vins. L'inscription type, nous dit le professeur J. B. Pritchard, comportait le nom de la ville, Gabaon, un mot hébreu signifiant «vigne entourée de murets» et le nom du propriétaire de celle-ci, c'est-à-dire du producteur. Trois noms principaux s'y lisent: Azaryahu, Amaryahu et Hananyahu [3]. Voici l'une des inscriptions (fig. 31):

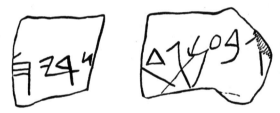

Fig. 31.   Anse de jarre au nom de Gabaon.

Gabaon, encl[os de A]maryah[u] [4]

On a retrouvé un entonnoir d'argile servant à remplir les jarres, ainsi que quarante bouchons d'argile qui obturaient les

[1] *RB*, 1957, p. 228.
[2] *The Illustrated London News*, 1958, pp. 505-507.
[3] Sur tout ce que nous disons ici, voir *The Illustrated London News*, 1958, p. 505.
[4] Une photographie de cette inscription a été publiée dans *The Illustrated London News*, 1956, p. 695. Le mot que nous traduisons par enclos est ici difficile à lire, mais il est très net sur une autre inscription dont la photographie a été

cols de celles-ci. Il ressort de cette découverte, qu'existait à Gabaon, avant l'exil, un important commerce de vin. On comprend que le fouilleur ait appelé Gabaon la « Bordeaux » de l'ancienne Palestine. Les Babyloniens mirent fin aux activités lucratives de ses riches marchands qui furent sans doute emmenés en exil.

LES ESTAMPILLES ROYALES

Parmi les estampilles de jarres, les plus importantes par leur nombre, comme aussi les plus mystérieuses, sont celles qu'on appelle les estampilles royales. On en a découvert plus de 550, et, jusqu'à présent, on n'en connaît que dans les sites fouillés de l'ancien royaume de Juda [1]. Par bonheur on a réussi à reconstituer une jarre de Lakish marquée de quatre estampilles, une sur chacune des quatre anses (pl. X, a). Cette jarre royale avait une capacité de 45 litres 33 [2].

Fig. 32.   Estampille royale avec symbole à quatre ailes.

Les estampilles royales, par leur motif central, se laissent classer en deux types : les unes ont un scarabée muni de quatre ailes qu'on identifie généralement au scarabée égyptien (fig. 32) ; les autres ont un symbole supporté par deux ailes dans lequel certains archéologues qui suivent Albright, voient un rouleau de la Loi volant (*Zacharie*, V, 1) et d'autres un oiseau (fig. 33). Diringer admet que le second type a remplacé le premier et y voit l'indice d'un

publiée dans *The Illustrated London News*, 1958, p. 507, figure 8. C'est le mot *gadér* qui signifie proprement « mur », « clôture » ; c'est le muret qui entoure la vigne et finalement la vigne elle-même en tant qu'enclos.

[1] La meilleure étude d'ensemble est celle de D. DIRINGER, *The Royal Jarhandle Stamps of ancient Judah*, dans *BA*, 12 (1949), pp. 70-86 et 91-92. Du même auteur, *Sennacherib's Attack on Lakish: New Epigraphical Evidence*, dans *VT*, 1 (1951), pp. 134-136.

[2] D. DIRINGER, *BA*, 12, p. 72.

a) Sceau de Shèma.   *p. 105*

b) Sceau d'Ashna.   *p. 107*

c) Empreinte du sceau de Gedalyahu.   *p. 108*

d) Sceau de Yaazanyahu.   *p. 108*

e) Sceau de Shèbna.   *p. 107*

PL. IX.   Sceaux hébraïques.

D'après BIRNBAUM, *The Hebrew Scripts (a et d)* et MOSCATI, *L'epigrafia (b, c, e).*

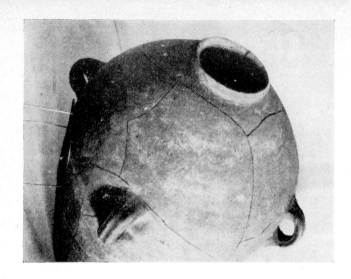

Pl. X. *a*) Jarre royale de Lakish avec estampilles. *p. 112*

D'après *BA*, 1949. (Avec l'aimable autorisation de la revue)

Pl. X. *b*) Fragments de jarre avec l'inscription « bat royal » (Lakish). *p. 113*[2]

D'après Moscati, *L'epigrafia*. (Avec l'aimable autorisation de l'auteur)

changement apporté par la réforme religieuse du roi Josias (622) : au lieu du symbole païen, le scarabée égyptien, on aurait adopté un symbole plus conforme à l'esprit de la réforme, un rouleau de la Loi [1].

Les estampilles royales portent deux inscriptions. Généralement au-dessus du symbole (fig. 32 et 33) on lit « *lammèlèk* » c'est-à-dire « *au roi* », « *pour le roi* », « *qui est la propriété du roi* », ou tout simplement « *royal* ». Le plus simple est d'admettre que « lammèlèk » signifiait que la capacité de la jarre était reconnue par les services royaux [2] ou bien que la jarre servait à la perception des impôts en nature pour la cou-

Fig. 33.   Estampille royale avec symbole à deux ailes.

ronne [3]. La seconde inscription de l'estampille était généralement sous le symbole central. C'était le nom d'une des quatre villes suivantes, toujours les mêmes : Hébron, Ziph, Sokhoh, Mmsht. Les trois premières sont connues (fig. 34), la quatrième ne l'est pas [4]. Les trois connues, sont des villes du royaume de Juda et il est vraisemblable que la quatrième devait être aussi une ville du même royaume. Or, où que ce soit en Juda qu'aient été trouvées les estampilles royales, à Lakish, à Gabaon, ou ailleurs, ce sont toujours les quatre noms de Hébron, Ziph, Sokhoh et Mmsht qui sont inscrits. Cette particularité pose un problème qui n'a pas encore trouvé sa solution. Les quatre villes étaient-elles des centres de perception pour les impôts royaux ? Elles ne semblent pas être très judicieusement répar-

---

[1] Est-ce le rouleau de la Loi retrouvé dans le Temple sous Josias ? Voir II *Rois*, XXII, 8.

[2] On connaît un fragment de jarre, ancienne mesure de capacité, marquée *bat lammèlèk*, *bat royal* (planche X, *b*), voir MOSCATI, *L'epigrafia*, p. 111, n° 2. On connaît un poids marqué *lammèlèk*, voir DIRINGER, *Le iscrizioni*, pp. 280-281. On doit enfin rapprocher de toutes ces indications, notre interprétation de l'ostracon de Lakish, n° 5, ligne 10 ; voir supra, pp. 86-88.

[3] Voir *supra*, p. 25, ce que nous avons dit du mesurage sur l'aire.

[4] Voir *BARROIS*, II, p. 227.

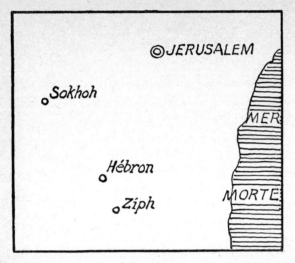

Fig. 34. Villes dont le nom est mentionné sur les estampilles royales.

ties dans le royaume. Etaient-elles des lieux où se fabriquaient les jarres marquées de l'estampille royale, où se trouvaient des sortes d'ateliers de poterie officiels?[1] Mais l'analyse des terres des anses marquées aux quatre villes, a prouvé que la matière première était la même[2].

Ce qui pourtant, après les belles études de Diringer, semble digne d'être retenu, c'est la classification des estampilles en trois groupes dont les dates s'échelonneraient de 722 jusqu'à la destruction de Jérusalem en 587, c'est-à-dire durant la période où le royaume de Juda a vécu seul au milieu des périls étrangers, après la ruine de Samarie.

---

[1] On sait que les artisans étaient groupés en corporations dont chacune habitait une ou plusieurs villes ou villages; pour les potiers, voir I *Chroniques*, IV, 23. Voir DE VAUX, *Institutions*, I, p. 42.

[2] G. E. WRIGHT, *BA*, 12 (1949), pp. 91-92.

ESTAMPILLES POSTÉRIEURES A L'EXIL [1]

Après l'exil les estampilles royales disparaissent puisque le roi de Juda est alors remplacé par un représentant du gouvernement perse. Les impôts disparaissent-ils pour autant? Semblable disparition est bien rare dans l'histoire. Non! Les impôts demeurent, et seule l'estampille change sa formule. Ce sont maintenant des estampilles au nom de « *Jérusalem* » ou de « *la ville* ». Jérusalem, la ville par excellence, n'était-elle pas le centre du royaume après le retour des exilés? Par la suite, ce fut le nom divin abrégé en « *Yah* » ou « *Yaho* » qui devint la formule des estampilles pour les jarres officielles. Yahvé n'était-il pas le vrai roi de son peuple? Et *Zacharie*, XIV, 21, ne voyait-il pas le temps où tout récipient à Jérusalem et en Juda serait consacré à Yahvé?

---

[1] Sur ces estampilles, voir l'article d'ensemble du R.P. VINCENT, *Les épigraphes judéo-araméennes postexiliques*, dans *RB*, 1949, pp. 274-294. Il faut ajouter aux textes mentionnés dans cet article, ceux qui ont été découverts à Ramat Rahel, *RB*, 1957, p. 254.

Conclusion

Dans notre étude, nous avons suivi l'évolution de l'écriture paléohébraïque depuis ses origines jusqu'à l'exil. Après l'exil, cette écriture n'a pas disparu brusquement. Attachée qu'elle était à un glorieux passé d'indépendance politique, elle resta longtemps en honneur pour la reproduction des livres saints. Qu'on pense aux multiples fragments bibliques en écriture paléohébraïque découverts dans les grottes de Qumrân, ou à son usage pour la transcription du tétragramme divin et des noms de Dieu dans certains des manuscrits par ailleurs tout en hébreu carré. Au moment où les Maccabées regagnèrent l'indépendance de la Judée, l'écriture paléohébraïque apparut sur les monnaies. Mais déjà l'écriture carrée avait supplanté sa parente dans l'usage courant et les inscriptions sur les ossuaires n'étaient déjà plus en écriture paléohébraïque.

Demain nous réserve-t-il des découvertes épigraphiques sensationnelles? Une vérité demeure: si les Phéniciens ont donné au monde l'alphabet, les hommes de l'Ancien Testament, grâce à l'alphabet, nous ont transmis le Livre, le livre éternel qui alimente la vie religieuse de millions d'hommes parce qu'il est le livre de Dieu.

BIBLIOGRAPHIE SOMMAIRE
Sigles et abréviations

ANET = W. F. ALBRIGHT, *Palestinian Inscriptions*, dans le recueil de J. B. PRITCHARD, *Ancient Near Eastern Texts relating to the Old Testament*, Princeton, 1950, pp. 320-322.

BA = *The Biblical Archaeologist*.

BARROIS = A. G. BARROIS, *Manuel d'archéologie biblique*, Paris, I (1939), II (1955).

BASOR = *Bulletin of the American Schools of Oriental Research*.

CIL = *Corpus inscriptionum latinarum*

COOKE = G. A. COOKE, *A Text-Book of North-Semitic Inscriptions*, Oxford, 1903.

EHO = F. M. CROSS et D. N. FREEDMAN, *Early Hebrew Orthography*, New Haven, 1952.

Géographie = R. P. ABEL, *Géographie de la Palestine*, Paris, I (1933), II (1938).

IEJ = *Israel Exploration Journal*.

Institutions = R. P. DE VAUX, *Les institutions de l'Ancien Testament*, Paris, I (1958).

JA = *Journal asiatique*.

JAOS = *Journal of the American Oriental Society*.

JNES = *Journal of Near Eastern Studies*.

JPOS = *Journal of the Palestine Oriental Society*.

JRAS = *Journal of the Royal Asiatic Society*.

La langue des ostraca = H. MICHAUD, *La langue des ostraca de Duweir*, thèse dactylographiée, Strasbourg, 1953.

L'archéologie = W. F. ALBRIGHT, *L'archéologie de la Palestine*, Paris, 1955.

L'epigrafia = S. MOSCATI, *L'epigrafia ebraica antica 1935-1950*, Rome, 1951.

Le iscrizioni = D. DIRINGER, *Le iscrizioni antico-ebraiche palestinesi*, Florence, 1934.

Lexicon = L. KOEHLER et W. BAUMGARTNER, *Lexicon in Veteris Testamenti Libros*, Leiden, 1953, et *Supplementum*, Leiden, 1958.

MPJ = RENÉ DUSSAUD, *Les monuments palestiniens et judaïques*, Paris, 1912.

PEQ = *Palestine Exploration Quarterly.*

Rép. ES = *Répertoire d'épigraphie sémitique.*

RB = *Revue biblique.*

Recueil = E. DHORME, *Recueil Edouard Dhorme*, Paris, 1951.

RHPhR = *Revue d'histoire et de philosophie religieuses.*

VT = *Vetus Testamentum.*

ZAW = *Zeitschrift für die alttestamentliche Wissenschaft.*

Bibliographie générale

Nous donnons ici par ordre alphabétique des noms des auteurs, les principaux ouvrages ou articles qui se rapportent à notre sujet. Des bibliographies plus détaillées ou des répertoires bibliographiques ont été indiqués dans les notes au sujet de chacune des questions traitées.

ABEL (*R. P.*), *Géographie de la Palestine*, Paris, I (1933), II (1938).

ALBRIGHT (*W. F.*), *Palestinian Inscriptions*, dans *ANET*.

— *L'archéologie de la Palestine*, Paris, 1955.

— *Die Religion Israels*, Bâle, 1956.

BARROIS (*A. G.*), *Manuel d'archéologie biblique*, Paris, I (1939), II (1955).

BIRNBAUM (*S. A.*), *The Hebrew Scripts*, Londres, 1954-1957.

COOKE (*G. A.*), *A Text-Book of North-Semitic Inscriptions*, Oxford, 1903.

CROSS (*F. M.*) et FREEDMAN (*D. N.*), *Early Hebrew Orthography*, New Haven, 1952.

DHORME (*E.*), *L'ancien hébreu dans la vie courante*, Recueil, pp. 541-553.

— *L'Ancien Testament*, premier volume (1956), Bibliothèque de la Pléiade.

DIRINGER (*D.*), *Le iscrizioni antico-ebraiche palestinesi*, Florence, 1934.

— *Early Hebrew Writing*, dans *BA*, 13 (1950), pp. 74-95.

DUSSAUD (*R.*), *Les monuments palestiniens et judaïques*, Paris, 1912.

FÉVRIER (*J. G.*), *Histoire de l'écriture*, Paris, 1948.

MOSCATI (*S.*), *L'epigrafia ebraica antica 1935-1950*, Rome, 1951.

PARROT (*A.*), les numéros 7, 8 et 9 des « Cahiers d'archéologie biblique », c'est-à-dire :

— *Samarie capitale du royaume d'Israël*, 1955.

— *Babylone et l'Ancien Testament*, 1956.

— *Le musée du Louvre et la Bible*, 1957.

THOMAS (*D. W.*), *Documents from Old Testament Times*, *1958.*

DE VAUX (*R. P. R.*), *Les institutions de l'Ancien Testament*, Paris, I (1958).

Bibliographie relative aux ostraca de Lakish

ALBRIGHT (*W. F.*), *The Lachish Ostraca*, dans *ANET*, pp. 321-322.

CROSS (*F. M.*), *Lachish Letter IV*, dans *BASOR*, 144 (1956), pp. 24-26.

DIRINGER (*D.*), *Early Hebrew Inscriptions*, volume 1, pp. 331-339 de l'ouvrage publié par O. TUFNELL with contributions by M. A. MURRAY and D. DIRINGER, *Lachish III (Tell ed-Duweir)*, *The Iron Age*, Oxford University Press, London, New-York, Toronto, 1953.

DUSSAUD (*R.*), *Le prophète Jérémie et les lettres de Lakish*, dans *Syria*, 1938, pp. 256-271.

ELLIGER (*K.*), *Die Ostraka von Lachis*, dans *Palästina Jahrbuch*, 1938, pp. 30-58.

HEMPEL (*J.*), *Die Ostraka von Lakiš*, dans *ZAW*, 1938, pp. 126-139.

JEAN (*C.*), *Inscriptions sémitiques*, dans « *Supplément au dictionnaire de la Bible* » de Vigouroux, fascicule XIX, 1943, col. 411-417.

THOMAS (*D. W.*), *Documents from Old Testament Times*, *1958.*

— *Again « The Prophet » in the Lachish Ostraca*, dans *Von Ugarit nach Qumran*, *Festschrift für Otto Eissfeldt*, Berlin, 1958, pp. 244 ss.
Ces deux études ne nous sont pas encore parvenues.

TORCZYNER (*H.*) (TUR-SINAI, de son nom israélien), *The Lachish Letters*, Oxford Press, 1938.

— *Te 'udot Lakish (Les ostraca de Lakish)*, Jérusalem, 1940 (en hébreu moderne).

DE VAUX (*R. P. R.*), *Les ostraka de Lâkis*, dans *RB*, 1939, pp. 181-206.

Transcriptions et signes divers

Les consonnes sémitiques $ḥ$ et h sont transcrites généralement par h pour ne pas compliquer la tâche des typographes.

Les consonnes emphatiques sont transcrites par les consonnes simples correspondantes, sauf $ṣ$ qui est transcrite par ts.

La consonne $š$ est transcrite par sh.

Dans la transcription des inscriptions nous utilisons les signes suivants :

Les crochets [ ] indiquent une restitution.

Les parenthèses ( ) encadrent des mots ajoutés pour faciliter la compréhension.

Les points sur la ligne ... indiquent des lettres manquantes ou indistinctes.

Le signe + représente un point de séparation écrit sur le texte original entre les mots.

Un point sur une lettre indique une lecture douteuse.

TABLE DES ILLUSTRATIONS

A. Planches

B. FIGURES

Imprimé en Suisse — Printed in Switzerland

REMERCIEMENTS

C'est avec une grande joie que nous exprimons tout d'abord notre reconnaissance à M. le Professeur ANDRÉ PARROT pour les conseils qu'ils nous a donnés et l'aide précieuse qu'il n'a cessé de nous accorder durant l'élaboration de ce cahier.

Nos remerciements vont ensuite à ceux qui nous ont permis de reproduire des photographies ou des figures de leurs ouvrages ainsi que des revues qu'ils dirigent :

Miss TUFNELL (pl. III, c et fig. 20 à 26).

M. le Professeur BIRNBAUM (pl. III, b ; pl. IV, a et b ; pl. V ; pl. IX, a et d ; fig. 12 à 14).

M. le Professeur DIRINGER (pl. I, a et X, a ; fig. 16 et 27-30).

Le R.P. GROLLENBERG (pl. I, b).

M. le Professeur MOSCATI (pl. IX, b, c, e ; pl. X, b ; fig. 8 et 9).

M. le Professeur PARROT (pl. II ; fig. 3 et 11).

M. le Professeur PRITCHARD (fig. 31).

M. le Professeur TUR-SINAI (pl. VI, VII, VIII).

Le R.P. DE VAUX (fig. 4, 15 et 17).

M. le Professeur Y. YADIN pour l'expédition J. A. de Rothschild à Hatsor et l'Université hébraïque (pl. III, a ; fig. 10).

La direction de *BASOR* et de *BA* (pl. X, a ; fig. 7).

TABLE DES MATIÈRES

Achevé d'imprimer
le 8 décembre 1958
sur les presses de l'imprimerie
Delachaux & Niestlé s. a.
Neuchâtel (Suisse)